社会のしくみのかじり方

Ishikawa Yasuhiro
石川 康宏

新日本出版社

目次

I　あなたが学べば社会はよくなる！　5

II　日本社会はどうなっている？　51

第1話　知っていますか？「社会科学」という言葉　52

第2話　現代日本は資本主義の社会　62

第3話　「財界言いなり」政治の実態は　76

第4話　〝アメリカ言いなり〟のはじまりは　85

第5話　〝海外で戦争をする国〟へ向けて　97

第6話　世界の大きな変化と時代遅れの日米同盟　106

第7話　戦争の歴史を知っておかねば　117

第8話　戦争「違法化」への努力と日本の役割　127

第9話　侵略を正当化する力の強さ　135

第10話　安倍政権の下での日本社会　146
第11話　平和・民主主義の日本の成熟へ　166
第12話　資本主義を超える未来の社会　176

おわりに　187

Ⅰ　あなたが学べば社会はよくなる！

「国の政治がアホなのは国民がアホだから」

イギリスには、「国民は自分のレベル以上の政治家を選ぶことが出来ない」という格言があるそうです。関西に長く住んでいるぼくは、これを「その国の政治がアホなのは、国民がアホだから」と、いつも勝手にくだいて紹介しています。

しかし、日本の政治の現状を見ると、これはなかなかに耳の痛い言葉ですね。この国の政治家たちは、まちがいなくこの国の有権者が選挙で選んでいるのですから。「選挙なんか行ったことないよ」という人たちも、質の悪い政治家が選ばれることにブレーキをかけず、それを見逃しているという点では同じです。「一八歳選挙権」の成立で、二〇一六年夏に予定される参議院選挙には二四〇万の新しい有権者が生まれるそうですが、若いみなさんにはぜひとも「賢い国民」になってほしいと思います。

このあいだ、ツイッターに「政治に無関心でいることはできるけど、政治と無関係でいることはできない」という言葉が流れてきました。これは、名言ですね。「関心ないから」と、ちょっと上から目線で、こちらから遠くに突き放してやったような気分でいても、結局のところ、税金とか、労働条件とか、学費とか、子育てとか、時には会社の給料にまで、政治は大きな影響を及ぼしてきます。突き放したところで、それはこちらの生活に、必ずブーメランのように返ってきてしまうものなのです。

「無関係でいたくても、無関係でいることはできない」。そのようにぼくらと政治の関係が、切っても切れないものであるならば、その政治は「ダメな政治」より「良い政治」、ぼくたちに「冷たい政治」より「あたたかい政治」であった方がいいに決まっています。

では、そういう政治はどうやってつくっていけばよいのでしょう。学校教育を良くする、メディアがもっとまともな報道をする、政治家がちゃんと勉強する（首相が「ポツダム宣言」をちゃんと読んでいない、なんてことが起きないように）など、いろんな方法がありそうですが、それでも最後の最後は、ぼくたちが「どういう政治を望み」「誰を選ぶか」がその決め手になっていきます。

ぼくたちには、たくさんの立候補者から、ぼくたちに「冷たい政治家」をしっかり見抜き、「あたたかい政治家」を選ぶ目が求められています。遠回りに思えるかも知れませんが、良い政治をつくる上で、いちばん肝心なのは、国民がかしこくなることなのです。その意味でぼくは、「あなたが学べば社会はよくなる！」と言いたいです。

「時間もないし勉強は苦手だ」

そうはいっても、社会のことをあらためて勉強するような時間はない、という方もいるかもしれません。そうですね。ホントに日本人は忙しい。会社勤めをしていれば、労働時間は長いし、ノルマも多い。パートやバイトは時給が安い。その上、残業代や夜間・休日労働の手当もまともに出ないこともある。それは法律違反なんですが（最近は「ブラック」といった方が、とおりがいいですか）、まったく踏んだりけったりです。

自営業のみなさんも、大変ですね。何せサラリーマンの給料が、一九九七年をピークに落ち込んで、財布のひもが固くなっていますから。学生たちも、親の給料は上がらないのに、学費は上がっていくばかり。これじゃあバイト漬けにならざるを得ません。毎日を暮らしていくのは大変です。

ところで、その大変さの陰に、日本的な特殊事情があるのをご存じですか？　日本の労働時間は世界一の長さです。サラリーマンの給料がこんなに長く上がっていない「先進国」も実は日本だけなんです。そして、学費の高さも世界一。

これはすべて、先ほどの「政治と無関係ではいられない」というブーメランの現われです。労働時間は政治が法律でコントロールしているものですし、給料が上がらなくなったのは、やたらと正規雇用者を減らすための法律「改正」があったからで、学費がとんでもなく高いのは政府が教育予算をケチっているからです。幼稚園から大学院まで、私立の学校でも、昔はもっと学費が安かったんですよ。それは、この国の未来のために、政府が「私学助成」をまだそれなりに実施していたからです。

ここをなんとかしていかないと、踏んだりけったりからの脱出はできません。同じ苦労を、後輩も、子どもも、孫もしていくことになってしまいます。生活は大変で、時間をつくるのも一苦労――それはよくわかるのですが、それに負けずに、よりよい社会に向けて、お互い努力をしてみましょうよ。

若い人の中には、でも、勉強は苦手でさあ、なんていう人も少なくないかもしれません。ここも日本社会が深刻な問題を抱えているところです。

子どもたちは、小学校に入学したときから、学校での成績を意識させられています。そのストレスは大変なものですよね。ぼくの子どもが小学校の三年生か四年生だった頃、お正月に、いっしょにこたつに入ってミカンを食べながら、テレビでお笑い番組を見ていました。その時に、子どもが突然、「はぁー」とため息をついて、「オレ勉強できないし」ってつぶやいたことがありました。まだ一〇歳になるかならないかの小さな子どもが、お正月ののんびりとした時間にさえ、学校の成績から自由になることができずにいる。同じような気持ちで生きる子どもたちは、今も日本中にいるんですよね。

これはどう考えても子どもの責任じゃないですよ。子どもを競争に追い込んで、「できる子」「できない子」なんてレッテルを貼りつけていく、大人たちがつくった教育制度の問題ですよね。

同じようなことが、もう少し年上の若い世代に向けても行われました。「勝ち組」「負け組」というレッテル貼りです。あれが若者向けの週刊誌で、さかんにいわれるようになったのは、一九九〇年代の後半でした。「勉強ができないオマエは負け組」「受験競争に勝てないオマエは負け組」「正規雇用に就けないオマエは負け組」「給料が少ないオマエは負け組」「結婚できないオマエは負け組」。これらはみんな、社会のしくみがもってる欠陥を、一人ひとりの人間の責任にすりかえてしまうものでした（これも、今も続いていますよね）。

小さな子どもの頃から、こんなふうに「ダメだ」「ダメだ」と言われつづけて大人になれば、そりゃあ、自分に自信がもてない気持ちにもなりますよ。今はそれぞれ仕事をしているぼくの三人の子どもたちも、そういう問題に直面しましたし、ぼくが今勤めている大学にも、そういう学生たちは、いつも一定の割合でふくまれています。

そういう学生たちにぼくが語っていることは、だいたい次の二つです。

一つは、そもそも学校の成績だけを指標にするような、そういう人間評価の基準設定が間違っているんじゃないかということです。まわりの子への思いやりが豊かな子、想像力が豊かな子、スポーツが得意な子、工作が上手な子、歌がうまい子、遊びをリードする子、人の話をよく聞く子、リコーダーが上手な子など。小学生の生活をちょっと考えてみても、みんないろんな力を育てているじゃないですか。

そのいろんなものをもっているのが人間なのに、その中から、学校の勉強だけ、しかもその科目のなかから、ほんのいくつかを取り出して、その合計点だけで、人間全体の評価を決めてしまおうとする、そんなことは間違っているだろという話です。

もう一つ、ぼくがよくいうのは、勉強の力にしたって、キミたちが問われてきたのは、もっぱらものを覚える力だけじゃなかったのかな、ということです。教科書に書いてあったことや、先生が黒板に書いたことを、どれだけそのまま自分の身体の中に入れていけるか、ほとんどがその力だけで「できる／できない」と言われてきたんじゃないのかな、と。

では、考える力についてはどうなんでしょう？

たとえばぼくのゼミの卒業生には、何度も転職している人、いったん退職して、子育てにめどがついたところで再就職した人（ぼくの勤め先は女子大です）が、たくさんいます。それぞれが、その時に、「この道だ」と思うところを見つけて、勇気をもって、そこに進んでいるわけです。ＯＬをやめて起業した人もいます。最近では、歌手としてＣＤデビューを果たした人もいます。そういう道を選ぶ力、それに必要な力を自分で身につけていく能力は、学校教育の中で、いったいどれだけ評価されてきたでしょう。

ほぼ、何も評価されていないんじゃないですか？

だから、今までの短い経験だけで、ぼくは勉強が苦手だ、私は勉強ができないし、なんて結論づける必要はないのです。まだ評価されていない力、まだ鍛えられていない力が、特に若いみなさんには、いくらでもありますから（ベテランはもう手遅れといっているのではありませんよ。ベテランのみなさんは、社会に出てからの実生活で、すでに、いつのまにか鍛えられているところがありますから）、うつむかないで、前を向いていきましょう。

社会についていったい何を学べばいいの？

それじゃあ、少しはやってみるかな、なんて思ってもらえましたかね。

では、次は、「社会について学ぶといったって、いったい何を学べばいいの？」という問題です。

結論からいうと、入口はどんなことでもいいんです。時々、ニュースで聞く「憲法を変えるって、どういうことだ」でもいいし、「こんなに働いてるのに、どうして給料がこんなに安い」でも、「経済大国なのに学費が世界一高いのはなぜ」でもいいんです。「原発たくさんあって大丈夫なの」でも「消費税一〇パーセントにするのはどうしてなの」でも、要するに今、自分に関心のあることでいいんです。

関心のあることっていうのは、案外大事なことなんです。関心があるということは、自分に関わりがあると思っているということですからね。「明治維新っていうのはね」といわれて、「そんなことオレには関係ねえよ」と思ってしまった途端、学ぶ意欲が何も出なくなったなんて体験は誰にもありますよね。いえ、明治維新は、ホントは現代日本の社会に深くつながっていますけど。学ぶ意欲の持続には、「この問題に自分なりの答えを出したい」という、できれば切実にそう思う気持ちが必要です。

転職するかどうか、この人と結婚するかどうかとなると、みなさん一生懸命に考えるでしょ。それは自分の生活に直結しているからですよね。「自分なりの答え」を中途半端にしないで、導き出そうとしますものね。それと同じようなことです。

もう一つ、社会を学ぶときに大切なのは、身近で、切実で、関心のあるテーマをとりあげたときに、それをどれくらいの深みをもって学ぶのかということです。わかりやすくいうと、何かを一冊読んだくらいで、「もう、すべてがわかった」なんて思っちゃダメだということです。だって、社会のできごとについてはいろんな意見があるじゃないですか。「ブラック企業は経営者が悪い」「だまされるやつも悪いよ」。「消費税は上げないと財政赤字が」「いやいや大企業の法人税をもっと上げて」。「年寄りのいうことばかり聞いていても」「でも年寄りは若者の未来だ」。

テレビの討論番組でも、いろんな人がいろんなことをいってますよね。ということは、一冊の本というのは、そういういろんな意見の中のたった一つでしかないということです。ですから、少なくとも、二冊、全然違った方向を向いている本を読んでからがスタートです。

そんなふうにいうと、「じゃあ、どっちを信じたらいいんですか？」なんて声も聞こえてきます。うちの大学の一年生からは、わりとよく聞く声なんですが。

ぼくの答えは「信じるなんていってたんじゃあダメだよね」というものです。「私はこっちを信じる」といったところで、社会の本当の姿は、全然違っているかもしれないじゃない。「信じるんじゃなく、事実にそって判断するんだよ」というわけです。

だいたい、自分の結婚がこの人でいいのかという大問題にぶつかって、お母さんが「この人でいい」、お父さんが「この人じゃあだめ」というときに、キミは「どっちを信じるか」でものを決めるのか、ということですよね。その時に、お母さんのいうことも聞いてみて、お父さんのいうことも聞いてみて、そして、その相手のことをよく観察して、自分の未来にも思いをはせてみて、そうして最後は「自分で判断」していくでしょ。それと同じことなんですよ。

でも、二冊の本がぜんぜん違うことをいってる時には、いったい何を基準に判断したらいいんだろう。まず大切なのは、そのテーマによく通じるということです。先の結婚の例でいえば、結婚を考えている「相手」をよく知るということですね。その上で、もう一つ大切なのは、その「相手」が自分に相応《ふさわ》しいかどうかを考えるための判断基準をどうするかです。稼ぎか、やさしさか、子ども好きか、家族構成は、転勤はあるのか、私は働けるのかなど。

くわえて、重みをもって生きてくるのが「先人の知恵」なんです。これまで何万年もつづいた人間社会の中には、「社会とは何か」について、とんでもなくたくさんのことを調べ、考え、様々なことを明らかにしてきた先人がいます。ぼくたちが生きる「資本主義の社会」についても、たくさんの人を数えることができます。その人たちの知恵を、コンパクトにまとめたものが、いわゆる「基礎理論」というやつです。

基礎理論による導きを参考に、その二冊の本と目の前の現実をつきあわせて、どちらがより「本当のこと」に近いのか、あるいは二冊の本のどの部分が「本当のこと」に近いのかを、慎重に探り当てていく。それが学び考えるということです。まどろっこしいですか？　でも、面白そうでもあるでしょ。そこでは「早く答えを教えてくれ」なんていってちゃだめです。結婚相手について、答えを出すのは自分でしょ。問題に、自分なりの答えが出せるようになれば、あなたは確実にひとまわり、知的に大きくなっています。それは、あなたの生き方に、ちょっと自信を持たせるものにもなるでしょう。

人権を守る国家をつくった！

社会の基礎理論を学ぶと、どんなことが見えてくるのか、少し例をあげてみましょう。まずは「人権」についての基礎理論です。

「人権論って、人はみんな平等ですっていう建前論でしょ、そんなもの学んでも実社会では、役に立たないよ」。

うん、大いにありそうな反応ですね。日本の「実社会」では、本当に「人権」が単なる建前にされていますからね。でも、ちょっと待ってください。世の中には、人権が大切にされている国もあれば、とてもそうはいえない国もある。その違いはどこから来ているのでしょう。それから、どこの国にも、もともと「人権」なんて言葉はなかったわけで、人間社会は何をきっかけに、そんなことを考えるようになり、それを世界に広げてきたのはどういう力なんでしょう。そして、日本にも、ぼくたちの時代に、あるいは子どもや孫の時代に、人権が大切だと思われる時代はくるのでしょうか。そういう「そもそも論」を知っておくことは、目の前の具体的な問題を判断する時に、大切な基準を与えてくれます。

安直に答えを求めるのでなく、自分の判断力を磨いていく。そのために、もうしばらくつきあってみてください。

まずは、歴史をちょっとさかのぼります。今、ぼくたちは資本主義の時代に生きています。その資本主義の社会をつくるきっかけになった政治の革命が、ブルジョア革命というものでした。よくその代表としてあげられるのは一七八九年のフランス革命ですから、時代は二〇〇年ちょっと前のことですね。

ここでは、それ以前の王政を倒して、国民が政治の代表者を選ぶ議会制への転換が大きな課題になりました。その取り組みを支える思想となったのが「人権」の思想です。トマス・ホッブズとか、ジョン・ロックとか、ジャン・ジャック・ルソーといった人の名前を聞いたことがあるかもしれませんね。この人たちの思想には、時代の制約をまといながらも、「国家は市民との社会契約の下に正当なものとみなされる」「人はみな生まれながらに平等だ」という要素がありました。王様の子が生まれつき王様の子で、農民の子が生まれつき農民の子だと、人の未来が、生まれた瞬間に決められている身分制の社会をやめて、「みんなは平等だ」という社会にしようということです。

そうした革命の結果（実際の革命には行きつ戻りつのジグザグがあるのですが）、アメリカ独立宣言、フランス人権宣言などに代表される「人権を守る国家」の目標が生まれてきます。これが、今でいうところの憲法です。今の日本で改憲が話題にされている憲法のはじまりです。

つまり憲法というのは「身分制をやめよう」「人々は平等だ」という理想をかかげて革命を行った人々が、革命によって成立した国家権力に「こういう革命の理想を実行しなさい」と、縛りをかけるものでした。これが立憲主義と呼ばれるルールです。すべての人の「人権」を守る国家をつくるための革命が先にあって、その革命の目的を新しい国家に達成させるために憲法はつくられたのです。

なんだか、このあたりは憲法の基礎理論になってきましたね。

この時にかかげられた人権は、基本的に「自由権」と呼ばれるタイプのものでした。身分制や、身分制の国家に縛られない自由。例えば、職業を選択する自由、住む場所を変える引っ越しの自由、王様のいうことに縛られない思想・信条の自由、自分の意見を述べるための集会・結社の自由などなどです。

しかし、それは国民に万能の自由を与えるものではありませんでした。ブルジョア革命は、資本主義の経済に道を開くものでもありましたが、そこでの「経済活動の自由」（自由放任の経済）は、新しい問題を引き起こします。貧富の格差です。給料をいくらにし、労働時間を何時間にし、休みを何分与えるかは「雇用契約の自由だ」となったのです。その結果、経営者（資本家）に対して立場の弱い労働者は、「わかりました、この条件で働きます」となってしまい、今でいうブラック企業が蔓延《まんえん》しました。

労働者からすれば、これでは「食えない自由じゃないか」となるわけです。そこから労働者は労働組合をつくって資本家に対抗したり、資本主義ではない、労働者が主人公になる社会主義の思想を生み出したりしました。

その労働者たちが「自由権」に加えて「社会権」を打ち出したのは、一八七一年のことでした。フランス革命からおよそ一〇〇年ですね。この年に、パリに労働者たちの政治権力（パリ・コミューンと呼ばれました）がつくられたのです。労働者たちは、この権力は何をする権力となるべきかを書いたいくつかの「宣言」を発表しますが、そこに、すべての人々の教育と生活の最低限の保障を書き込んだのです。社会権のはじまりです。社会権というのは、国民が国家に対して幸福に生きる保障を求める権利のことです。現代日本でも、国家が国民の最低限の生活を保障することが、憲法二五条に書かれていますが、その元祖はパリの労働者たちの思想なのでした。

パリ・コミューンは、フランスの軍隊によって三カ月弱でつぶされますが、社会権の思想はその後につながります。一九一九年、今度は第一次世界大戦後のドイツに、ワイマール共和国が成立し、そこでワイマール憲法がつくられます。そこに、国民の生存権、教育権、労働権を国家が守ることが明記されるのです。こうして社会権を盛り込んだ憲法を現代憲法と呼び、それ以前の自由権だけの憲法を近代憲法と呼んで区別します。

ワイマール憲法には、ほかにもすごいところがあります。たとえば第一五一条はこうなっています。「経済生活の秩序は、すべての人に人たるに値する生活の確保を目的とし、正義の原則に適合しなければならない。各人の経済上の自由は、この限界内で保障される」。すごいですね。資本主義の枠内の話ではありますが、経済活動の自由は正義の原則の枠内で保障される、つまり「ブラック」は許されないとなっているのです。これが、今から一〇〇年近くも前にあった憲法です。

その後、ワイマール共和国は倒れて、かわりにナチスが台頭するといった歴史のジクザグがありました。しかし、今ぼくたちが「日本では人権がおろそかにされている」という時の「人権」は、こうして、多くの人々の時間をかけた努力のすえにつくられてきたものです。こうやって、人間の社会は、少しずつでも前向きに変わってきたのでした。

改革への取り組みの歴史が浅い日本

「う～ん、世界の変化は何となくわかったけど、かんじんの日本はどうしてこうなんだろう」。

そうですね。ぼくたちにとって身近なのは、なんといってもこの日本の社会ですからね。では、話をそこに進めてみましょう。

二〇一五年一月に「イスラム国」を名乗る武装組織によって、日本人が殺されてしまうという事件がありました。事件の後で、ドイツのメディアが、ご遺族にインタビューをしました。その時、日本政府の誰も謝罪に来なかったということを聞いて、ドイツのスタッフは絶句したそうです。

スタッフたちの感覚は、人を殺した「イスラム国」が悪いのはもちろんだけど、国民の命を守ることに失敗した日本政府が、家族に謝罪にくるのは当たり前だというものだったのです。「国家は国民のためにある」ものだからです。日本国憲法も、そういう組み立てになっており、生存権、教育権、労働権を国家が守ることになっています。

しかし、実際に、この日本で生活していると、反対に、「自己責任があたり前」「国に頼るな」という声が、政府の中から聞こえてきます。「お金がないなら教育が受けられないのは当たり前」とか「大企業の競争力のために、労働条件を引き下げましょう」「財政赤字だから社会保障も引き下げて」というわけです。どうして日本は憲法からも、ドイツやヨーロッパの常識からも、大きくはずれた社会になっているのでしょう。

ぼくは、それは戦前・戦後の日本社会の歩みに、特に労働者や国民の社会改革の歴史に関係してのことだと思っています。

日本の「近代憲法」は、一八九〇年に制定された大日本帝国憲法です。しかし、ここには、国民の自由権がまったく入っていません。実態はとても「近代憲法」とは呼べないものでした。

もっぱら書かれているのは、「大日本帝国ハ万世一系ノ天皇之ヲ統治ス」(第一条)にはじまり、天皇が主人公の社会であり、国民は天皇の家来(「臣民」と呼ばれました)だということでした。ですから、戦前の社会には、小林多喜二が『蟹工船』で告発したような、労働者が「タコ部屋」に監禁されて、奴隷のように働かされるということが、当たり前のこととしてあったのでした。

自由権を求めてたたかった人はいました。有名なのは植木《うえき》枝盛《えもり》(一八五七〜一八九二年)

なんていう人ですね。彼はヨーロッパの思想を学んで、明治の時代に、主権在民、基本的人権の保障、地方自治、さらには人民の革命権、世界平和主義などを唱えました。革命権というのは、主権者は、政治を変える権利を持っているという考え方です。また、資本主義は野蛮だ、こんな社会ではだめだというので、日本でも社会主義の思想が広がります。今につながる日本共産党がつくられたのは、一九二二年のことでした。しかし、これらの取り組みは、日本が侵略戦争に突入していく中で、すべて弾圧されてしまいます。

一九三一年の「満州事変」から一九四五年の敗戦まで、この時期の戦争を十五年戦争と呼んだりしますが、この間に亡くなった日本人は三一〇万人、アジア・太平洋地域の人々は二〇〇〇万人以上になりました。日本人一人が死ぬ間に、日本人がアジアの人々七人を殺していったことになります。

このあたりは、日本近現代史の基礎といった感じですね。

戦後、日本は連合国を代表したアメリカ軍に軍事占領され、一九四七年に現在の日本国憲法が施行されます。侵略戦争への痛切な反省を前提に、この憲法には、はじめて国民の権利が書き込まれます。自由権にくわえて社会権も書き込まれた、画期的な「現代憲法」です。

人権は「侵すことのできない永久の権利」だと繰り返され（第一一条、第九七条）、各種の自由権だけでなく、社会権（生存権、教育権、労働条件を法が定めること、資本家を相手にたたかう労働者の権利）が第二五～二八条に書き込まれ、さらに経済活動についても、財産権を「公共の福祉」によって制約しています（第二九条）。「両性の本質的平等」（第二四条）や「戦争の放棄」（第九条）もきわめて重要です。この憲法の内容は、今なお世界の最先端にあるといっていいものです。

これは日本人にとって、戦前からのとてつもない権利の飛躍を意味していました。戦後の国民は多くがこの憲法を支持しました。それは当時の世論調査などでもはっきりしています。しかし、この憲法の意味合いをどこまで理解していたかといえば、そこは心もとないところがありました。

何せ、多くの国民は、それまで自由権さえ手にしたことがなく、自由権の獲得のためたたかった経験もほとんどなかったのです。自由権を書き込んだフランス人権宣言から約一五〇年後のことですが、一五〇年たった後でさえ、日本国民の多くはそれを切実に求めるたたかいの経験をもちませんでした。ここは、現代日本とヨーロッパ社会の成熟度の違いを見るとき、根本に置かれるべき重要な問題となっています。

第九七条は、「基本的人権は、人類の多年にわたる自由獲得の努力の成果」と書き、「これらの権利は、過去幾多の試錬に堪《た》へ、現在及び将来の国民に対し、侵すことのできない永久の権利として信託された」とあるのですが、この意味が実感としてわからない人がたくさんいたと思います。

大日本帝国憲法から日本国憲法へ、日本の憲法は大きな飛躍を遂げました。そのことは素晴らしいことで、歴史の進歩を意味しています。しかし、そこで、その飛躍に追いつくための成熟の課題を、国民の多くは抱え込むことになりました。

ここから、すばらしい憲法はある、しかし、その憲法どおりの政治を追求したくない政治があり、また憲法の深みをまだあまりよく理解できていない主権者がいるという構図のもとで、戦後社会は始まったのでした。

その後、自民党は一九五五年の結党以来、ずっと「新憲法制定」を目指してきました。それにもかかわらず、それが実現しなかったのは、日本国憲法を大切だと考え、「憲法をくらしの中に活かそう」、憲法どおりの政治を目指そうとする人たちの取り組みがあったからです。

しかし、各種の社会権については、国民の中に広く、安定した理解が成り立っているわけではありません。話をもどしておけば、それが「自己責任」論を受け入れてしまう人が少なくないという、今日のような社会状況の背景になっています。

このあたりで、このテーマについての話はストップしておきます。

憲法については「実状に合わないから、もう変えてしまおう」という意見がありますけれど、憲法と政治と世論の関係は、こんな具合になっていますから、ぼくは「憲法に実状を追いつかせることができていない」ところにこそ、日本社会の歴史的な課題があるのだろうにと思っています。そこの問題を、政府がすり替えちゃだめだよねぇと思っています。

学ぶという行為は受動的か

こうして社会を学ぶと、それもちょっと根本のところについて学ぶと、現代社会のいろいろな問題を考える「基準」のようなものができてきませんか？　これが「先人の知恵」あるいは「基礎理論」の威力なんですよ。「基礎」とつくと、「上級」じゃないなんて誤解して、これを初歩的な理論ととらえる人がいますけど、「基礎」は「土台」ということです。いろんな問題をとらえる時に、ドッシリと出発点として役立つものという意味です。ですから、そういう本こそ、むしろ繰り返し読まれるべきなんですよね。

「でも、ぼくは工学部だし」「私は文学部なんですよ」なんてことを、学生にはいわれることがあります。なぁにを、いってるんでしょうね。ここでいっている社会についての学びは、自分が入った学部や学科に関係なく、この社会に生きているすべての人が学ぶべき課題として提起しているんですよ。

ぼくは、大学時代の学びというのは、大学が提供するカリキュラムにそった学びが半分、自分の成長のために自分でつくったカリキュラムによる学びが半分だと、そんな具合にとらえています。「ぼくは、工学部だから」なんて発言は、大学から与えられるもの以外は学ぶ気がありませんということですよね。そりゃあ、あまりに貧困な精神です。

「でも、社会について、そんなふうに教えてくれる科目がないんです」。ええ、ええ、そうですか。だからね、だから「自分で」学んでいくんですよ。誰に教えてもらえなくても、自分で本を読むんです。自分から人に聞きに行くんです。自分から現場に足をはこぶんです。学ぶというのは、与えられることを身体に入れるだけの受動的な行為ではなく、自分でテーマを見つけ、自分からそれへの答えを探しに行く、能動的な行為なんです。

ここで、ちょっと昔話をさせてもらいますね。ぼくの大学時代についてです。

ぼくが今からちょうど四〇年前に入学したのは、立命館大学の産業社会学部でした。入試は補欠合格です。高校時代のぼくは、いわゆる偏差値がたしか五二くらいで、真ん中よりほんのちょっと上なだけでした。北海道の札幌にいたのですが、父親と相談して、京都に出ることにしました。

ただ、補欠合格でしたから、まわりの学生は、みんなぼくより勉強ができるはずだ。そう思えて、ぼくは不安で仕方がなかったのですね。そこで、ちょっとくらい予習しておこうと、下宿の近くの本屋さんにいきました。そこで偶然「産業社会学」という言葉の入った本を見つけるのです。山口正之さんという、立命館大学産業社会学部の先生が書いた『マルクス主義と産業社会論』（新日本出版社、一九六九年）という本でした。振り返ってみると、それがぼくにとってはマルクスという人とのはじめての出会いでもありました。今のぼくは、『マルクスのかじり方』（新日本出版社、二〇一一年）という本を書いたり、内田樹《たつる》先生と一緒に『若者よ、マルクスを読もう』（かもがわ出版、第一巻二〇一〇年、第二巻二〇一四年）なんて本を書いていますけど、出会いはそんなふうにまったく偶然でした。

大学に入って、自治会活動に関わるようになると、そこに集まっていた先輩たちは、「お金のある人しか大学に来れないのはおかしくないか」といった議論をしていました。なるほど、たしかに、ぼくの高校時代の友人には、ぼくよりずっと勉強ができるけど「働かないといけないから」という理由で、受験をあきらめざるを得ない人がたくさんいたのでした。そのことへの気づきは、ぼくなりに当時の社会を考える大切なきっかけになったと思います。

もう一つ、大学の中では、先輩たちがいろんな「自主ゼミ」をやっていました。「自主ゼミ」というのは、大学が提供するゼミではなく、学生たち数人が勝手に集まって、やりたい勉強を自由に行うというものです。実際には、何かテキストを決めて、それをみんなで議論しながら読んでいく、そういうスタイルが多かったですね。

声をかけてもらって、ぼくもいくつかの自主ゼミに加わりました。そこではじめて読んだのが、マルクスの『共産党宣言』でした。中身はちんぷんかんぷんでしたが、でも、一年、二年上の先輩たちは、ああだこうだと議論をするわけです。それを見て、かっこいいなあ、そういう知的な世界があるんだなあと目を開かされた思いがしました。

結局、ぼくは学生運動を理由に、大いに授業をサボり、また家庭の事情で仕送りがなくなったこともあって病気になり、大学を卒業したのは二八歳になってのことでした。産業社会学部を一度中退して、最終的には、夜間の経済学部を卒業したのです。決して立派な大学生ではありませんでしたね。でも学生運動をしながら、日本の政治や社会を考えて、授業にはさっぱり出なかったけれど、本を自分でたくさん読んで、結局それがその後の自分の人生を決める基本をつくってくれましたね。

もう一度、同じことをしろといわれれば、「しんどいから、いやだ」と思いますが、でも、とても充実した時間でした。

そんなぼくにいわれても、大した信憑《しんぴょう》性は感じられないかもしれませんが、社会について学ぶということは、その社会の中でどう生きるかを考えるために不可欠ですし、そうやってそれなりに考えた生き方をもっているということは、毎日を生きる自信にもつながります。全体として、それは「人を大人にしてくれる」ものだと思います。学生のみなさんには、そんな利点も、学びの励みにてしてほしいですね。

ついでなので、ぼくのゼミの卒業生たちが、現役学生たちに語ったアドバイスも、少し紹介しておきますね。『輝いてはたらきたいアナタへ』（冬弓舎、二〇〇九年）という本を、大学のゼミでつくりました。就職とか仕事ということをキーワードにした本で、内容の中心は、就職している先輩たちへのインタビューでした。その中で、在学生へのアドバイスもお願いしたわけです。そうすると回答は、だいたい次の四つにまとめられました。

一つは、大学時代は勉強しなさいということです。「『あの時、勉強しておけばよかった』っていうことだらけだ」というのです。

「大人になったら遊べないから」などといって学ぶ時間をつくらない口実にする学生がいますが、それが何の根拠もないということは、大人になれば、すぐわかることです。飲み会をしたり、友だちとしゃべったり、大人になっても遊ぶ時間はつくれます。でも集中して、自分のやりたいテーマについて何年も学べる時間となると、これは大学時代以外にはありません。ぼくにも大きな後悔があります。「大学時代に、もっと外国語を勉強しておけばよかった」というのが中心です。

二つ目は、働く人の権利について知っておくということでした。「ブラック」を「ブラック」と見抜くためには、まずは法律が経営者に何を命じているかをちゃんと知らねばなりません。基本は労働基準法です。ネット上でいくらでも調べられますから、これは就職前にしっかり学んでほしいことですね。

三つ目は、よい友人を見つけるということでした。お互いの生き方を支え合い、励まし合えるような友人です。

最後の四つ目は、大学時代に、たくさんの大人と接しなさいということでした。大学生は、大人のようでもあり、子どものようでもある、まだまだ中途半端な存在です。それが、卒業時には、新米ではあっても大人の一員になっていなければなりません。そのためには大人とはどういうものかを、たくさんの大人と接して知る必要があるということです。

バイト先の大人、部活のOB・OG、大学の先生、それから自分の家族。そこには人生の先輩たちがたくさんいます。そういう大人たちと、正面から自分の生き方について話をする機会をもってほしいということでした。大いに参考にしてください。

「現場で学ぶ」という方法

社会について学ぶといったとき、教室で勉強する、本を読む、いい映像を見るなど、いろんな学び方があります。どれも大事な方法ですが、もう一つぼくが大事にしていることに「現場で学ぶ」「当事者に聞く」ということがあります。

勤め先の大学での、ゼミの学びから紹介してみます。

まずは、「慰安婦」問題についてです。先にもふれた十五年戦争の中で、日本の軍隊は、侵攻した先々に「慰安所」をつくり、そこに「慰安婦」を閉じ込め、組織的にレイプを繰り返しました。第二次世界大戦の中で、国家や軍がレイプを推進する方針をもって、実行したのは、大日本帝国とナチス・ドイツしかありません。

戦場にいった兵士たちは、多くが「慰安所」の存在を知っていましたし、戦場から帰った兵士からそんな話を聞いた家族もたくさんいました。しかし、それは偉そうに人さまにいえることではない。そんなふうにみんな思っていたのでしょう。これが大きな問題としてクローズアップされたのは、韓国の金学順《キムハクスン》さんという元「慰安婦」が、一九九一年に日本政府を訴えたことによってでした。

そこから日本政府が大急ぎで調査をします。日本国内の役所を調べ、図書館を調べ、アメリカの公文書館を調べ、元「慰安婦」や日本兵、当時の朝鮮半島を支配した朝鮮総督府の役人や「慰安所」周辺の居住者まで。さらに国内で出版された関連文献の多くを読みすすめます。

その結果、この問題には、直接、間接に国家が関与していたとして、一九九三年に政府は「河野談話」を発表し、「お詫びと反省」の気持ちを示します。ところがその後も、一部の政治家が「河野談話」はまちがっている、「慰安婦」は商行為だ、などの主張をくり返します。そして、本来なら政府見解である「河野談話」を守るべき立場にある安倍晋三首相も、「『日本が国ぐるみで性奴隷にした』とのいわれなき中傷がいま、世界で行われている」（二〇一四年一〇月三日、衆議院予算委員会）などと発言し、これは今も大きな政治問題になっています。

ゼミでは、いろんな立場の文献を読み、一定の歴史資料にもあたります。その上で、関連するフィールドワークを毎年行いました。一度は東京で、もう一度は韓国で、です。

東京では、いくつかの資料館を見学しました。一つは、「慰安婦」問題についての日本で唯一の資料館である「女たちの戦争と平和資料館」に行きました。時々の展示について、スタッフの解説を聞き、置かれている資料や文献も見せてもらいます。

もう一つは、靖国神社とその中にある遊就館《ゆうしゅうかん》という戦争記念館です。ここは、明治以降のすべての戦争を「自存自衛」「アジア解放」のための戦争だったとする立場で、「女たちの戦争と平和資料館」とは一八〇度違った姿勢をとっています。

三つ目は、戦争で深刻な障害を負ったいわゆる傷痍《しょうい》軍人の戦後を記録した「しょうけい館」です。日本兵たちは、アジアに対してはまちがいなく侵略の先兵でした。しかし、日本国家との関係で見れば、天皇主権の政治制度の下、「戦場に行け」という命令を断ることのできない被害者としての一面ももちました。足を失い、目を失い、両手を失って帰国した兵士もたくさんいます。そうした兵士の戦後のつらさも学びました。

東京は一泊二日でしたが、韓国には三泊四日で行きました。初日は日本からソウルに移動し、食事をして、街中を少し歩く程度です。二日目は、元「慰安婦」が少しまとまって暮らす「ナヌムの家」を訪れ、つらい体験の話をうかがい、同じ場所につくられている「日本軍『慰安婦』歴史館」で学びます。被害者の中には、興奮すると、服を脱いで、日本刀の傷跡を見せる方もおられました。三日目は、ソウルにもどり、一九一九年の植民地時代に日本からの独立の運動を宣言した場所（現在のタプコル公園）や、元「慰安婦」たちが日本大使館に抗議する水曜集会の現場などを訪れます。そして四日目には、植民地時代の韓国の様子を記録する西大門刑務所の資料館を見学します。

相当に濃密な四日間です。

この中で、学生たちはたくさんのことを体験し、たくさんのことを考えずにおれなくなります。目の前でおばあさんが語っていることは、本当のことなんだろうか、この傷跡は何によるものだろう。いくつかの資料館の展示は何を物語っているだろう。学生同士の意見が割れることもあり、議論は帰国後までつづくこともありました。でも、当事者の怒り、悲しみ、憤り、疲れ、やさしさなどを前にして、「考える」姿勢は格段に深まります。

そういう学びは、出版活動にも結実していきました。『ハルモニからの宿題』（冬弓舎、二〇〇五年）。ハルモニというのは韓国の言葉で、ていねいにおばあさんを呼んだ言葉です。『「慰安婦」と出会った女子大生たち』（新日本出版社、二〇〇六年）は、二〇〇八年に韓国語訳も出されました。韓国の梨華女子大の学生サークルで、テキストの一つとして活用されてもいるそうです。『「慰安婦」と心はひとつ　女子大生はたたかう』（かもがわ出版、二〇〇七年）、『女子大生と学ぼう「慰安婦」問題』（日本機関紙出版センター、二〇〇八年）、最後が『「ナヌムの家」にくらし、学んで』（日本機関紙出版センター、二〇一二年）でした。最後の一冊は、「ナヌムの家」で長く働いた村山一兵さんとの共著です。

最初、ゼミ生たちが「本をつくりたい」と言い出した時には、本当に書けるだろうかと半信半疑のところがありました。でも、結局、これだけの本はつくれました。受験勉強の得意な学生ばかりではなかったはずですが、大学での学び、「本当のこと」を追い求める真剣な取り組みの中で、こうやって成長したわけです。それは、なかなか頼もしい姿でもありました。

福井県、福島県にも行ってみた

「慰安婦」問題をゼミのテーマにしたのは、二〇〇四年から二〇一一年まででした。二〇一二年からはテーマを「原発・エネルギー問題」に転換しています。ここでも「現場で学ぶ」「当事者に聞く」という取り組みを重ねています。

二〇一二年には、福井県に行きました。福井県は原発が一五基もならぶ、日本最大の「原発銀座」で、一番近い大飯《おおい》原発は、大学から直線距離で九〇キロ程度の距離にあります。「福島の事故はひとごとではない」「まずは自分たちの足元から」というのが、この年のゼミ生たちの判断でした。関西電力の原発PR館を見学し、何十年も原発の建設や運転に反対の取り組みをしてきた方の話も聞きます。

小浜市では、明通寺《みょうつうじ》の住職・中嶌哲演《なかじまてつえん》さんにお話をうかがいました。いろんな発見がありましたが、中でも、学生が中嶌さんに、「地元の人たちは原発をどう思ってるんですか」と質問したときのお話は印象的でした。中嶌さんはまず、「大飯原発が立ってるおおい町の地元では、ほぼ反対はできません。反対すれば村八分で本当に大変なことになるんです」と言われました。しかし、続けてこうも言われたのです。

「今、『地元』と言われましたが、『地元』には原発が立っている立地地元もあれば、事故が起きたときに被害を受ける被害地元もある。さらに、原発の電力を消費している消費地元もある」。「福井の原発でつくられた電気は福井県では使っていませんよ、使っているのは、京都、大阪、神戸の大都市に暮らす、みなさん。あなたたちなんですよ」。

これは学生たちには衝撃でした。原発は自分と離れたところにあるものではなく、毎日の「自分のスマホの電源だった」ということですから。自分たちこそが、「原発を使ってきた人間だった」ことに気づかされたのです。そのことを、立地地元で何十年もたたかってきた方から、静かに指摘されたことのショックは大きかったと思います。この体験をきっかけに、学生たちは「夏休み」を本の執筆に費やし、時間はかかりましたが、『女子大生のゲンパツ勉強会』(新日本出版社、二〇一四年)にまとめました。

二〇一三年も、福井県で中嶌さんのお話をうかがい、さらに敦賀原発のPR館にも行きました。敦賀原発は、運転開始から四五年になる一号機の廃炉が決まり、二号機の真下にも活断層があることが確認されて、これも廃炉の可能性が高くなっている原発です。

夏には、はじめて福島県にいきました。夏休みの三泊四日の旅行です。家族に「危ないから行かないで」と言われた学生もいたと、後になって聞きました。

初日は、朝早くに大阪空港を飛び立って、福島空港へ。そこからＪＲで一時間以上かけて福島大学に移動します。お昼どきだったので、学食でゴハンを食べたのですが、そこで学生がポツリと言いました。「先生、だれもマスクしてないですね」。

福島県では、放射性物質を吸い込まないように、みんなマスクをしているはずだ――そういう思い込みがあったのですね。でも、福島県はとても広い県です（面積では全国で三位）。そこには、放射性物質の深刻な汚染を受けた地域もあれば、地震や津波の影響も、原発事故の影響もほとんど何もなかった地域もあり、一時的に放射線量が上がったけれど、今はもう下がったという地域もあるわけです。行ってみて、はじめて実感することの一つでした。

食後は、福島大学の先生に、震災と原発事故、被災と復興の様子などについてレクチャーしていただき、夜は翌日以降にお世話になるみなさんといっしょに食事をさせてもらいました。宿泊先は福島市内です。

二日目には、バスで浪江町《なみえ》に移動します。途中、山を越えたところで飯舘村《いいたて》を通過し、ここでは線量が一時、急に上がりました。浪江町は、その年の三月末まで、人が立ち入ることが全面的に禁止されていた地域です。四月から、一部への立ち入りがようやく許されるようになったばかりでした。役場で職員さんのお話を聞き、町の中も案内していただきました。

人はまだ誰も住んでいません。復興の手もまったく入っておらず、震災当日のまま、町には流された船や車がゴロゴロ転がっていました。さすがに言葉が出なくなります。地震、津波の被害に遭った人を、さあ助けにいくぞとなった瞬間に、原発事故での避難命令が出ました。「あそこに生きている人がいるかもしれないのに」。そう思いながら、避難を進めざるをえなかった悔しさ、苦しさを表情ににじませた方もおられました。

街中を歩かせてもらって、あらためて感じたのは、放射性物質の分布が実にまだらだということです。津波被害の大きかった請戸《うけど》地区からは、肉眼で福島第一原発が見えているのですが、そのあたりの線量は福島市内とほとんど変わらない。でも、そのすぐ近くに、立入禁止とされる場所もあるのです。「目に見えないものに、人間が区切られている」という感想を述べた学生もいました。

三日目は、農家、農業関係者の苦労と努力を学びました。「福島の農産物は危ないのか、そこを確かめたい」というのは、学生たちの重要なテーマの一つでした。実際には、農産物は、行政も、農協も、農家自身も、厳格に検査・管理しています。その結果、政府の安全基準にひっかかるものは、流通できないしくみになっていました。

福島大学の先生からは、土壌が放射性物質を含んでも、それが作物に自動的に移行するわけではない、そこで、汚染された環境下でも安全な作物を作る研究をしているというお話もうかがいました。この先生からはたくさん桃をいただいて、その夜、みんなでおいしくいただきました。

最終日は、みんなで福島市の果樹園に行きました。線量チェックは厳しくされており、安全でないものを出したことはない。それでも、「何年もうちから買ってくれていたお客さんと、事故の後、連絡が取れなくなったりもした」。だから、「みなさんが、おいしいと食べてくれるのが本当に嬉しい」と農家の方に言われ、その言葉が胸に響いたと、後で語った学生もいました。果樹園は、何かを学ぼうと目的をもっていった場所ではありません。でも、こうして接しているだけで、学べることはあるのです。この時の体験は、みんなで『女子大生　原発被災地ふくしまを行く』（かもがわ出版、二〇一四年）にまとめました。

「原発と原爆」を考えてみる

二〇一四年には、原発の問題と原爆の問題をつないで学ぶことをテーマにしました。

こうなるとフィールドワークの一カ所は広島です。被爆者の方から実体験もうかがいました。原爆資料館をあらためて見学し、原水爆禁止運動の到達点や課題についても学びました。日本政府が原爆症の認定をなかなかしないなど、被爆者援護に消極的な姿勢も教えていただきました。その背後には、今日の日本政府がアメリカの「核の傘」に入ることで、日本の安全を守ろうとする立場をとっていることがありました。学生たちには驚きです。

原爆がまき散らした放射性物質によって、今も命が侵されていることを知った学生は、「ああ、原爆って、放射性物質で人を殺す武器でもあるんですね」とあらためて気づいたようでした。そして「二度と被爆（曝《ばく》）者をつくってはいけない」という言葉からは、どうしても福島の事故を思い浮かべてしまいます。「原子力の平和利用」が声高に叫ばれた時に、原水爆禁止運動が、原発に対して十分厳しい姿勢をとることができなかったというお話も、その運動を担った方からうかがいました。

夏には、再び、福島県を訪れました。初日は、もともとの人口の三分の一ほどが帰村している川内村を見学させてもらいました。この人口だとお店も経営が成り立ちません。村が補助金を出して、コンビニを誘致したという話もうかがいました。他方で、「雇用をつくるお手伝いができるなら」と、他県から志をもって入って来た工場の内部も見せてもらいました。

二日目は、浪江町を案内していただきました。一年で町の様子にも変化があります。家庭ごみの収集が行われたり、それに必要な焼却場をつくる準備が進んでいたり、稲作の実験も行われ、ガソリン・スタンドも一カ所オープンしていました。

三日目は、相馬市で、漁師さんの話を聞きました。

「三・一一の大地震直後に、船で海へ出た。大地震の後には大津波があると、漁師の先輩たちから聞いていた。大きな波をいくつも越えて、陸側からもどってくる波も何度も越えた、そうして船を守った」。

「ところが、その後の原発事故で、海の汚染が明らかになり、漁がまったくできなくなる。それで、海の上の瓦礫《がれき》を片づける仕事をした。自分たちは漁師だった親父の姿を見て、親父のことをかっこいいと思って漁師になった。でも、子どもは『お父さんの仕事は瓦礫を片付けること』だと言う。それが、悲しく情けなかった。だから、もう一度、漁ができるようにして、いつか『私のお父さんはかっこいい漁師です』と子どもに言わせたい。そのためにも漁の復活まで、自分たちがつないでいきたいと思っている」。

そういうお話でした。そういうお話を、笑ったり、つらそうな顔をしたりしながらしてくれる。そういう人の姿を目の当たりにすれば、がんばってほしい、なんとかできることはないだろうかと、いやでも考えるようになります。

福島の漁協（漁業協同組合連合会）は、長く漁を自粛してきましたが、県などの厳しいチェックを受けながらも、安全が確認されたものに限って、二〇一二年六月から小規模な操業と販売を行う試験操業を始めています。東京の築地市場にすでに出ている魚もあります。

これは学生たちにもぼくにも、強い印象の残るお話でした。「自分も、事実をよく確かめないで、風評というか偏見というか、それにとらわれていた」と語る学生もいました。この学生たちも、現在、本の作成に取り組んでいます。

こうやって、現場に出かけると、そこではじめてわかることがたくさんあります。なにより、そこに生きている生身の人との出会いが大切です。悔しい、つらい、嬉しい、楽しい、そういう話を間近に聞き、言葉をかわし、接するのです。そうすると、その人はどこかの知らない人ではなく、「あの時、あそこで会った人」に変わります。それが問題を考える姿勢と真剣さをぐっと深めてくれるのです。大変な状況の中で、問題を乗り越える努力を重ねている人たちには、こちらが逆に励まされたりもします。

学生たちだけではなく、もうすっかり大人というみなさんも、ぜひ機会を見つけて、いろんな現場に出かけてみてください。ただし、単なる観光旅行にしないために、事前の勉強、事後の勉強はしっかり積み上げてくださいね。

・社会の基本単位としての家族について

社会について学ぶことの最後に、身近な問題の一つとして、社会の中の男女関係、あるいはジェンダーやセクシュアリティにかかわる問題にふれておきます。これは、ぼくたちの家庭や家族の生き方にもかかわる重要問題です。とてもプライベートな、個人的な問題に見えますが、そこにも時々の社会のあり方が深くかかわっています。

「男は仕事、女は家庭」。こういった男女関係は、いつからあったものでしょう。こう質問すると学生たちの中には「大昔から」と答える人が少なくありません。でも、それはホントに大きな間違いです。

歴史をさかのぼるほど、人の暮らしは大変です。電気もない、機械もない、ろくな道具もないとなっていきます。昔にさかのぼるほど、子どもも年寄りも、男も女も、外でみんなで働いていたのが実態です。では、「主婦」はいつごろ生まれたのでしょう。答えは資本主義の誕生の時期ですね。ただし、その頃の主婦は、資本家や官僚など、ごく一部のお金持ちの妻だけです。「ええとこの奥様」と呼ばれた人たちだけですね。ヨーロッパでは一九世紀型主婦と呼ばれています。二〇世紀に入ると、主婦は一般サラリーマン（労働者）家庭にも広がります。「ええとこの奥様」とはちょっと違う主婦ですね。これが二〇世紀型主婦と呼ばれており、さらに二〇世紀後半になると、ヨーロッパでは主婦は減っていきます。次第に「仕事も家庭も男と女で」に近づいていくのです。

日本はちょっと歴史がずれています。日本で「ええとこの奥様」が増えてくるのは二〇世紀のはじめになってからです。どうしてそんなずれがあるかというと、資本主義の誕生そのものにずれがあるからです。日本の方が遅いのです。そして、サラリーマン家庭に主婦が広がるのは、日本では戦後の高度経済成長期のこととなっていきます。

「戦後って、男女平等の日本国憲法ができて、戦後の女性は社会に進出したんじゃないの？」

それが、事実は違うんですね。農業から工業に産業の重点が移って、農村部の若い女性（当時は中学卒業くらいです）が、東京や大阪などの大都市に働きに出てきます。そして長く働きつづけられるなら、「専業主婦」にはならないはずですが、戦後の資本主義は女性だけに「若年定年制」をつくっていくのです。二五歳定年なんていうのがザラにありました。当時も、男より給料の安かった女を、どうして企業はクビにするのか。背後にあったのは「男を徹底した会社人間にする」という財界団体の労働力管理戦略です。

「男を会社人間にする」ためには、衣食住のお世話係が必要だ。そのために結婚した女は会社をやめさせよう。結婚せざるを得なくするために、ある年齢になったらやめさせよう。そうしてお世話係にしていこう――というわけです。それから、いずれは衰える男のスペアとして、次の労働者候補生の育成が必要だ。その子育てを妻にまかせようというしくみづくりです。だから、戦後、男性中心型の労働時間はいっこうに短くなりません。こうして世界一の長時間労働と、世界でも有数の男女格差社会は、同じメダルの裏表となっています。

戦後日本で放映されるようになったアメリカのホームドラマが、もっぱら専業主婦家庭を舞台としていたことも、日本人の専業主婦志向に影響を与えることになりました。

さてもう一つ、日本で職場の男女平等がなかなか進まない理由には、こうして子育ても、高齢者の介護もすべて妻にまかせておけば、社会保障に予算を使う必要はないという政府の姿勢の問題もありました。社会保障に頼らない「家族の愛」は「日本の美徳」なんていうわけですね。

北欧はじめヨーロッパの主要国家で、働く女性の比率が上がっているのは、意識の変化だけでなく、社会保障の充実によるものです。

「日本の美徳」といえば、憲法を変えたいという人たちの主張には「男女平等が日本の家庭をだめにした、戦前に返れ」なんていうものもあってビックリさせられます。

ヨーロッパも、資本主義以前は男社会でしたし、「自由権」をめざしたブルジョア革命によっても、それが大きく変わったわけではありません。それでも一九世紀には、女性の権利を拡大する取り組みが進みます。フェミニズムの第一波ともいわれる運動ですね。ところが日本の戦前には「自由権」もありません。ようやく二〇世紀に入って「女性解放運動」がはじまりますが、結局、戦争の波に飲み込まれてしまいました。

戦前日本の男女関係、家庭関係を決めたのは明治民法ですが、女性の権利は日本の長い歴史の中でも最低レベルに削られました。特に財産権がないことが、女性を子どもから年寄りまで、男に従属させ続ける大きな要因となりました。「戦前に返れ」という人たちは、こういう男性支配型の家庭のことを「日本の歴史と伝統」なんて言い方で美化することもあります。実際には、明治以前の過去にさかのぼるほど、もっとおおらかな男女関係が長く続いていたのですが。

最近はLGBTといわれるセクシャル・マイノリティーの権利の確立も、大きな社会課題になっています。Lはレズビアン、Gはゲイ、Bはバイセクシュアル、Tはトランスジェンダーの略ですね。他にもいろんな用語法があるようですが、要するに人間の性のあり方、セクシュアリティ（性的志向、どういうタイプの人間に性的魅力を感じるか）は、元来、非常に多様であって、そのすべてのあり方を同じように認め合うということが課題になっているのです。

日本でこうしたセクシュアル・マイノリティーへの抑圧が強くなるのは、おそらく明治に入った頃からです。明治国家は、富国強兵を高くかかげ、これにそって国家の理念にかなう「国民」づくりを進めましたが、その一環として、富国の条件となる人口増加をかかげます。それが必ずしも出産につながることのないマイノリティーの性愛を、社会から排除する大きな力になっていったようなのです。

どうですか。ジェンダーとかセクシュアリティといった問題も、基礎を少し学んでおくと、目の前のいろんな現実がわかりやすく整理できますよね。人間の社会について学ぶという時、家族はその最小の単位ですから、そこもしっかり学んでおきたいところです。

ここでの話の最初に、「結婚相手はこの人でいいのか」を、問題を考える一つの事例としてあげましたが、実は今のような一夫一婦婚も歴史のある段階で生まれてきたものです。それから、すでに見たように「男は仕事、女は家庭」は、ヨーロッパではむしろ古い家庭のタイプになってきています。ＬＧＢＴの権利の問題は、結婚がいつでも男と女によって行われるとは限らないということも意味しています。

面白いでしょ？　いえ、ここでとりあげた問題はどれも大切で、重大な問題ばかりですが、こうやって社会のしくみや歴史の「基礎」をある程度知っていると、いろんな事柄を整理する判断基準ができてきます。それは自分に対する自信を深めますし、生きる力を強めるものともなってきます。学生さんなど若い人には、大人への発達を促すものともなるでしょう。

そして、そうやってそれぞれが豊かに成長することが、よりよい社会をつくることにもつながるわけですから、社会について学ばない手はありません。オチがついたところで、みなさんには、現代日本社会の基礎理論へと、さらに学びを深めていただきましょう。では、次の章へどうぞ。

II　日本社会はどうなっている？

第1話　知っていますか？「社会科学」という言葉

今の日本社会をとらえる上で、大切だと思う視角や問題意識について、時々、基礎理論の話をまじえながら、思いつくところを書いてみます。さて、どんなふうにころがっていくでしょう。

若い人たちとの会話の中で

第1話のテーマは「社会科学」についてです。

先日、大阪で、若い人たちと日本の政治について語りあう機会がありました。「安倍内閣の暴走が……」とか「改憲案の内容は……」といったような話です。集まったのは数人ですが、一〇代の大学生から、三〇代の大きな組合の青年部のリーダーまで、それぞれに今の政治を憂え、歴史問題や医療、自治体のあり方などをまじめに考えてきた人たちです。

話はいろんな方向に広がりましたが、ちょっと本筋から離れたところでぼくが驚かされたのは、メンバーの誰一人として「社会科学」という言葉を聞いたことがなかったということでした。まさか、そんな。ぼくはビックリ仰天です。そして「これは、案外大きな落とし穴かも知れない」と思わされたのでした。

その昔、学生運動をやりましたとか、もう少し下の世代で、そのにおいをかぎましたという人たちには、「社会科学」は、日常生活の一部に何の装いもなしに同居していた日常語だと思うのですが、この本を読んでくださっているみなさんは、どうなんでしょう。若い方は、やっぱりご存じないですか？

「自然科学」が「自然についての科学」を指すように、「社会科学」は「社会についての科学」を指しています。「社会について」というだけなら、ややこしいことは何もないのですが、肝心なのはそれが「科学」だという点です。

「社会についての科学」を考える機会がなかったとすれば、経済学や政治学など、社会についてのさまざまな学問は、いったいどういうものだととらえられていたのでしょう。ひょっとすると、それは、たんに「多くの学者たちの合意」というくらいにしかとらえられていないのかも知れない——ぼくはそこを「落とし穴」かも知れないと思ったのでした。

「本当の姿」を探りに行く

話の本題に入りましょう。「科学」とはいったい何でしょう?

こう問われて、みなさんが真っ先にイメージするのは、たとえば、宇宙の誕生、生物の進化、人体の不思議など、テレビでよく見る個々の「自然科学」の到達点や、それを探る科学者たちの生きた姿であるかも知れません。ぼくもその手の番組は大好きで、小学生の子どもといっしょによく見ています。

そこで科学者たちが、望遠鏡や顕微鏡や薬、大がかりな実験装置をつかってやっているのは、自然の「本当の姿」を探りにいくということですよね。恐竜の骨の発掘や生きた姿の復元なんかも実におもしろいです。

少し考えてみるとわかるように、ぼくたちの目の前に見える自然は、いつでも「本当の姿」をそのまま見せてくれているわけではありません。夜空の星は、暗い空の平面にペタッと並んでいるように見えますし、それがまとまって地球の周りをまわっているように見えています。でも、実際には、人の目に見える範囲の星々は、銀河系と呼ばれる渦巻円盤の形をつくっていますし、まわっているのはぼくたちの地球の方でした。

それから子どもの時に見た星も、大人になって見る星も、夜空にはまるで変化がないように見えますが、本当はその誕生（ビッグバン）やその直後の急激な膨張（宇宙のインフレーション）の時から、ぼくには正確にイメージすることもできないくらいに大きく変わり、今も膨張を続けているそうです。いろんなことがわかっているものですね。

このように、誰でも観察できる世界を入口に、その裏には何があるのだろう、どうしてそんなふうに見えるのだろうと、現実の「本当の姿」を探りにいくのが科学です。そうして見つけ出された成果の方も、広く科学と呼ばれていますよね。

では、「本当の姿」はいったいどうやって確かめられているのでしょう。「その点について、今は多くの科学者がこう考えています」なんていうのは、テレビの番組でもよく聞かれる言葉ですが、多くの科学者はどうやってある共通の考えにたどりつくのでしょう。それはもちろん、単なる思いつきや、面白みだけで決まることではありません。

たとえば、人が宇宙ステーションまで行って、無事に帰ってくるためには、両者の関係についての正確な知識が必要です。宇宙ステーションと地上との実際の関係についての知識です。そこに思いつきや面白みなどが入ってしまうのでは、宇宙飛行士はただの命知らずでしかなくなります。求められるのは、こうすれば間違いなく目的地に到着できるし、帰りもこうすれば絶対に安全だという、誰をも納得させることのできる証拠です。両方の関係の「本当の姿」についてのデータです。

そして科学者たちはそのデータの信憑性《しんぴょう》を点検し、そのデータが意味するところを詳しく推理して、ある事柄の内容に対する一定の「合意」を、結果的につくります。観察者の思い込みといった主観を排することは、その作業の中心的な課題となっています。

ですから、一時期、大きな話題になりもしましたが、自分の主張（仮説）の正しさを多くの科学者に認めさせようと、データを捏造《ねつぞう》（自分に都合よく修正）する人が出てきても、結局は科学者の集団的な点検に耐えられず、「科学」の到達に仲間入りすることができないといったことも起こるわけです。科学の基準は、科学者の主観的な合意ではなく、現実の客観的な把握です。

ですから「ぼくはこう思うよ」「どうして？」「いや思うだけ」という思いつきのたぐいは、どんなに立派な「本」に書かれていても、科学の範囲には入りません。

もう一つ、科学をとらえる時に大切なのは、それが「すべてがわかった」という完成品でなく、「今ここまでわかっている」という、いつでも変化の途上にあるということです。さきほど紹介した「その点について、今は多くの科学者がこう考えています」という時の、「今は」にかかわる問題です。そこには、昔はこう考えられていたが「今は」こうだ。「今は」こうだが、将来どう変わるかはわからない。そういう意味が含まれています。

観測機器の進歩や新しい観測方法の発見により、今よりずっと精緻《せいち》なデータが、あるいはまったく違った角度からのデータが出てくるかも知れない。そうして現実の客観的な把握が深まれば、それをどう評価するかをめぐる科学者の合意も変化します。こうやって、「ここまでわかっている」ということの「ここまで」を、より広く、深いものにしようと努力しているのが科学者です。

社会科学も同じように

「社会科学」は同じことを、自然についてではなく、社会を相手に行うものです。人間社会の「本当の姿」を探り、その成果を順に積み上げていくものです。

社会も自然と同じく、ぼくたちに、簡単に「本当の姿」を見せてはくれません。たとえばコンビニに売られているボールペンとコーヒーが同じ一〇〇円なのはどうしてでしょう。あまり考えたことがないかも知れませんね。でも、これは経済学にとっては歴史的な超大問題の一つなのでした。販売者が、それぞれ自分で自由に決めた結果のように見えますが、実際には、市場経済の下で売買される商品の価値は、それをつくるのに必要な労働の量にしばられています。

ボールペンやコーヒーと同じように、現代の社会では、ぼくたちの働くエネルギーも売買されていますよね。代金として労働者が受け取っているのが賃金（給料）です。それは個人の「労働の対価」に見えています。しかし、実際には「労働力の価値」であり、他のどの商品とも同じように、その大きさは、それをつくるのに必要な労働の量にしばられているのでした。

人間社会が原始から現代まで大きく変わってきたことは、歴史の表面を見てもわかります。しかし、なぜ、社会はこのような形で変わってきたのでしょう。何が、そうした変化を生み出す力になっているのでしょう。それはなかなかむずかしい問題です。長く、それは「歴史を動かす偉人の判断」から説明されてきましたが、今では反対に、経済を中心とした社会内部の変化の方向に、うまく乗っかり、これを加速した人物が「歴史を動かす偉人」と呼ばれるようになっています。

このように社会科学は、自然科学が自然を相手に行うように、目に見える社会の姿の背後にある、社会の「本当の姿」を探求するものです。それは社会科学者の思いつきや、そういう見方が面白いからといった主観を基準とするものではなく、やはり自然科学と同様、現にある社会の客観的な把握にもとづくものです。

ですから社会科学者もデータにもとづいて、自分の分析の正当性を主張します。新聞、統計、様々な歴史資料などを検討し、フィールドで実際に社会の観察を行うのです。過去の思想家を引き合いに出す時にも、そうしたデータと思想家の知見の一致、あるいは不一致をその思想家を評価する基準の根本においています。決して、その思想家に対する単なる「好き・嫌い」を理由にしているのではないのです。

自然科学にたくさんの分野があるように、社会科学にもたくさんの個別科学の分野があり、たとえば経済学、政治学、歴史学、社会学などは、人間社会のどの部分を、どういう方法で探求するかによって区別されています。

自由な意思と社会の法則

とはいえ、社会は自然と違って個人の意思に左右されるのだから、自然の場合のような客観的な法則は成り立たないのではないか。これは「社会科学」が「科学」として成立する際に、もっとも大きな壁となった問題の一つでした。

この点については、まず世界の歴史についての究明が、一つの答えを与えました。具体的なあり方はいろいろですが、どこの国や地域にも、大雑把には、原始的な共同社会から、古代の奴隷制社会、中世の封建制社会、近代の資本制社会へという社会発展の方向性を見いだすことができました。これは多かれ少なかれ、子どもたちの学校教科書にも反映されていることです。では、そのような方向性が共有されていることと、たとえば日本とヨーロッパに暮らす個人の意思の異同は、いったいどういう関係になっていたでしょう。

たとえば、ぼくには、風邪を引いて高い熱が出れば、仕事を休む自由（権利）がありますし、しかし、理由が何であれ、来年一年間を遊んで暮らす自由はありません。それでは生活ができなくなってしまうからです。また、ぼくには、この原稿を書いた後に、ちょっと買い物に出かけるかどうかを決める自由はあります。しかし、そこで毎回一〇〇万円を使う自由はありません。そんなにたくさんのお金をもってはいないからです。

このように個人の自由な意思は、その人が生きる社会のしくみや社会的な立場に、大きく制約されています。ぼくの場合には、誰かに雇われて働き、その代わりに受け取る賃金で生活する労働者だということが、意思の範囲を定める大きな要因となっています。それはヨーロッパに暮らす労働者にとっても、基本的には同じです。同じ資本主義の社会で、同じ労働者として生きているという客観的な事実が、互いの連絡があろうとなかろうと、それぞれの自由を同じような範囲に制限し、社会を同じような方向に向けさせる基礎的な条件となるのです。

つまり、各人が自分の自由な意思にしたがって行動するということは、法則が個人（集団）の意思を通じて貫かれるという、自然の世界にはない独自の特徴を社会に与えますが、法則の存在そのものを否定する理由にはならないのです。

いかがでしょう。話を、最初の若い人たちとの政治の議論にもどしておけば、日本の今の特徴や安倍政権の暴走といった問題を、単なる歴史の偶然や安倍さん個人の意思や思想に解消することなく、今日、そのような形をとって現われざるをえない日本社会の「本当の姿」から、しっかり、深みをもってとらえてほしいと思います。それは今の政治の流れを変えるための勘どころをつかむことにも、まっすぐつながることですからね。

第2話からは、現代日本の社会をとらえる「社会科学」の具体的な内容に入ります。

第2話　現代日本は資本主義の社会

第1話は、自然のあり方を探求する自然科学と同じように、社会についても、そのあり方を探求する社会科学が成り立つのだという話でした。ここからは、ぼくたちが暮らす現代日本の社会が、「社会科学の目」にはどう映っているかについて、ぼくが理解する限りで、できるだけかみ砕いて紹介してみます。

一つ目の今回は、現代日本の社会が「資本主義の社会」だということについてです。

資本主義の社会というものは

みなさんは、「資本主義」という言葉から何を連想するでしょう。「市場経済」とか、「自由競争の社会」とか、「お金が何よりものをいう」といったところでしょうか。若い方だと「ワーキングプア」や「ブラック企業」などが、真っ先にあたまに浮かぶという人もいるかも知れません。

実は、現代の社会を「資本主義の社会」ととらえることを最初に提起したのは、一九世紀のヨーロッパで活躍したカール・マルクスという人でした。それまでにも資本主義という言葉はありましたが、それをこの段階の人間社会全体を、まとめてとらえる用語として使ったのは、マルクスが初めてだったのでした（実際には「資本家的生産様式」というややこしい表現を使うことが多かったのですが）。そのマルクスの用語法が、今では学校の教科書にも登場する当たり前のものとなっています。

マルクスは、「資本主義の社会」を、人々の暮らしをささえる経済（人が生きるのに必要な食べ物、生活用具、それを作るための機械、サービスなどの生産や流通のしくみ）が、労働者を雇う資本家たちの、私的な利潤追求を原動力として運動していることを根本にとらえました。そのような経済の上に、資本家と労働者の利害が衝突する政治や、それらの関係を成り立たせるのに必要な法律や、この社会に対応した多くの人々の文化や意識があり、それらの要素の全体が資本主義の「社会」をつくっていると考えたのです。

統計を確かめてみると、現代日本では、労働力人口（働いてお金を稼いでいる人）のおよそ八割が労働者です。労働者というと、筋肉ムキムキの肉体労働者をイメージする人もいるかも知れませんが（ぼくが勤める大学の学生にはかなりの割合でいます）、社会科学の世界での労働者というのは、誰かに雇われて働き、その見返りに受け取る賃金で生活しているすべての人のことです。サラリーマンも、ＯＬも、公務員も、ぼくのような大学の教師も、病院に勤める医師や看護師も、みんな労働者ということです。

これに対して、人を雇う側の代表選手は、工場や機械や建物などからなる「職場」（マルクスは生産手段といいました）を「ぼくのもの」「ぼくたちのもの」として所有している民間企業の資本家です。それは現代だとその企業の株式をたくさん保有するという形で現われています。日常の企業経営を担当するのは社長や会長を頂点とする経営者集団ですが、誰を経営者にするかを決定するのは株主総会です。ですから、どこかの家具会社のように、経営者内部に大きな対立があれば、その決着を株主総会でつけるということも起こるわけです。

多くの民間企業での資本家と労働者の関係（労資関係あるいは労使関係）が、自治体と労働者、大学と労働者、病院と労働者なども含めて、その社会の労資関係全体を大きく方向づけています。公務員の賃金が「民間準拠」になっていたり、私立大学や少なくない病院の賃金が、公務員の賃金を左右する「人事院勧告に準拠する」となっていたりするのは、その一例です。また、より広く見れば、民間職場における長時間労働や非正規雇用の拡がりが、公務員職場や大学、医療機関に押し寄せてくるという関係もあります。

民間職場の労働条件が悪くなる時には、本当なら、政治が適切な法律をつくって労働者を守るとか、公務労働者を守って社会全体の雇用の質の悪化をくい止めるとか、そういう役割を期待したいところですが、残念ながら現代日本の政治は、大資本家たちの利潤の拡大を最優先しています。本当に困った話ですが。

利潤は労働の成果から

さて、こうしてつくられている労資関係の中身は、いったいどういうものでしょう。労働者からすれば雇われて、働き、給料をもらう。それは誰にも見やすいことですが、その関係をさらに掘り下げてみると、そこには何があるのだろうかということです。

まず労働者は、雇ってくれる人がいないと（失業すると、就職できないと）、だれからも賃金をもらうことができず、生活することができなくなってしまいます。他方では、資本家も、どんなに立派な機械をもっていても、労働者なしには何を生み出すこともできません。この点では、労働者と資本家は、お互いに「あなたなしではいられません」という相互依存、もちつもたれつの関係です。

ところが同じ労働者と資本家は、力を合わせて生み出した「もうけ」を、お互いに分け合うところになると、「あなたがたくさん取るとぼくの取り分が減ってしまう」という相互対立の関係になっていきます。そこでは労資の力関係がものをいい、たとえば過去最高のためこみ利潤（内部留保）をもっている大企業でも、労働者からの強い圧力（賃上げの交渉）なしに、賃金を自動的に上げることはありません。それどころか、「今は経営状態が良くても、来年どうなるかはわからないのだから」といった理由で、逆に賃金が引き下げられることさえあるのが現実です。

こうして一面では互いに対立的である二つのものが、他面では互いに離れがたく結びついている関係を、マルクスは「矛盾」と呼びました。労資の矛盾というと、両者の対立面あるいは解決すべき問題点だけをイメージする人が多いかも知れませんが、マルクスはそういうとらえ方はしていません。対立と依存という二面を同時に担っている二つの極の関係、それが矛盾です。

矛盾の語源としてよく語られる「どんな盾《たて》もつらぬく矛《ほこ》と、どんな矛にもつらぬかれない盾が同時にある」というのは、現実にはありえない論理の上だけでの矛盾ですが、労資関係は、ぼくたちが毎日をその中ですごしている現実的な矛盾です。ぼくは、私立の大学で教職員組合の委員長を何期も務めましたが、一方で、よりよい大学を目指し、それによる経営安定のために経営陣と共同しながら、他方で、賃上げや福利厚生施設の充実などをめぐり、同じ経営陣ときびしい交渉を繰り返すという生活は、マルクスの労資関係論の正当性を、あらためて実感させるものでもありました。

この労資関係のもとで、資本家は自分たちのもうけ（利潤）の拡大を追求しています。マルクスは端的に、「資本とは自己増殖する価値の運動体だ」とも述べました。つまり資本（企業）は、資本同士の競争を免れることのできない資本主義のもとでは、モノやサービスの販売をつうじた利潤の追求を、自らはやめることができない存在である、やめればそれは競争に敗北し、資本であることをやめずにおれなくなってしまう存在だ、というのです。

利潤を拡大するために、資本は、必要な原材料をできるだけ安く買いたたき、下請企業にはできるだけ安い単価で仕事をさせ、生産した商品はできるだけ高く売ろうとします。また労働者には安い賃金しか支払わず、それにもかかわらず、できるだけたくさん労働させようとします。

しかし、大資本であれ中小資本であれ、安く買ったものを高く売り、その差額でもうけようとする方法は、総資本や消費者が互いに分け合う利益の全体を大きくするものではありません。そこでは、他の資本や消費者から富を奪い取ろうとするゼロサムゲーム（参加者の全体の得失点の合計がゼロとなるゲーム）が展開されるだけです。

そこでマルクスが焦点を当てたのは、資本が、労働力を買い入れるために支払うその時々の市場価格（賃金）と、その労働力を消費し（労働させて）、新しく生み出させる経済的な価値との差額の問題でした。資本は、労働者に支払った金額よりも大きな経済的価値を受け取っているとして、その差額のもとを、マルクスは「剰余労働」とか「剰余価値」という言葉で表現しました。

それは等価交換を原則とする市場経済のもとで、資本が拡大し、資本主義の経済が拡大するのはなぜかという謎をはじめて明らかにするものでした（それはアダム・スミスやデイビッド・リカードゥのような、マルクスに先行した古典派経済学者には解決できない問題でした）。資本が、できるだけ安い賃金で、できるだけ長い時間（休憩時間もむしりとって）、できるだけ高い集中度・強度を維持して働くことを労働者に求めるのは、この剰余価値を大きくするためだということが明らかにされました。これは現代日本に、労働者を平然と「過労死」に追い込むブラック企業が蔓延《まんえん》していることを説明する根本の論理にもなるものです。

労資関係は相互の依存と相互の対立の両面を同時にもちますが、その対立の内実はこのようなものであるわけです。この関係の中で労働者がわが身の健康を守り、人間らしい労働条件を守ろうとすれば、労働者には労働組合に集まって力を合わせて抵抗し、よりましな労資関係をつくる努力が必要で、さらにはいつまでも労資関係という枠組みに甘んずるのでなく、労資への社会の分裂を乗り越える、より共同的な経済関係をつくっていく必要がある。マルクスはそのように、資本主義の中で働く人たちに、生きてたたかう指針を示していきました。

社会科学と労資の対立

さて、ここで、第1話でお話しした「社会科学とは何か」についての補足です。そこでは、自然についての科学と同様、社会についての科学が成り立つこと、人々の自由な意思も、社会の客観的な法則を否定するものにはならないことについて述べました。追加しておきたいのは、労資の対立のような大きな社会の分裂と対立が、科学の具体的なあり方に少なくない影響を与えるという問題です。端的には、利害が科学をゆがめることがあるという問題です。

原子力発電の拡大に際しての「原発安全神話」の吹聴《ふいちょう》などがわかりやすい例の一つです。原発の危険性、核エネルギーを制御する人間の知識や技術の未熟を指摘する科学者はたくさんいたわけですが、原発で儲けたいとする電力会社や原発メーカー、これと結びついた政府やメディアの動きに同調して、「安全神話」を広める役割を果たした科学者も、残念ながらたくさん生まれています。

同じようなことは、たとえば経済政策の根本にすえられるものの考え方にも現われています。「景気回復は大資本から」として、大資本を先に潤していけば、庶民の暮らしも後から、いつかは改善されていくのだ、というトリクルダウン（おこぼれ経済）の「理論」がそれです。そこから、大資本優遇のための法人税減税とそれを埋め合わせるための消費税増税、大資本の儲けの自由を拡大するための規制緩和、大資本にとって都合のよい労働力をつくるための労働法制の改悪といった諸政策が出てきます。

ぼくはこれを「理論」の名に値するものだとは思っていません。その正当性を示す証拠、データがまったくないというのがその理由です。反対に、そうして国内の消費力（国内の消費力の最大部分は個人消費です）を破壊していくことが、大資本の内部留保の拡大と国民生活の貧困化という格差の拡大を生み出している現実があるからです。トリクルダウンの「理論」は、そうしてもらえると大いに儲かるという大資本の欲求に、一部の科学者が理論的な粉飾を行っただけのものでしかありません。「おこぼれ経済」論は、「原発安全神話」と同じく、現実の正確な、客観的な理解をゆがめることの上にのみ成り立つ「神話」です。

こうして科学の世界では、資本の利益につながることをきっかけに、社会の「本当の姿」を探求する科学の行為がゆがめられることがしばしば起こります。そこで科学者たちの世界にも、真実を探求するのが科学の本分であるという当たり前の姿勢を、経済的な利害にもとづく様々な誘惑から守り、貫いていくための構えが必要となるわけです。大学などの研究機関を資本の要請に屈伏させない。あるいは同じく資本の要請にしたがった政府の動きに屈伏させない。そのことは、人間社会の発展にとって大きな意義をもつ取り組みです。

資本主義以外の社会も

話を本筋にもどしましょう。

「現代の社会は資本主義の社会である」という言い方には、現代にいたる以前の社会は「資本主義の社会」ではなかったという意味が含まれています。

実際、たとえば江戸時代の経済をささえる生産者の中心は農民でしたが、農民は、誰かに雇われたり、働くことの代償として賃金を受け取るといった関係に入ってはいませんでした。漁民や手工業者などとともに、農民は自分が作った米や野菜などの半分ほどをも、将軍を頂点とする支配層に、代金を受け取ることなく差し出さざるを得ませんでした。それが「年貢」と呼ばれるものでした。そのような関係を成立させる根本は、差し出さなければ「刀で切る」という力による強制で、またそのような社会を「当たり前のもの」として納得させる大小の思想や宗教などでした。

さらにいえば、お金でものを買うという「貨幣経済」が日本に広く成立するのは室町時代のことですから、それ以前の時期になると、労働の成果をお金で買うということ自体が一般的には成立しません（古代の富本銭《ふほんせん》や和銅開珎《わどうかいちん》は広く普及しませんでした。それを必要とする商品経済の発展がそもそも未成熟だったからです）。

このように人間社会には、労資関係を軸とし、また市場経済や貨幣経済を土台にもつ「資本主義」以外にも、様々な社会がありました。裏を返せば「資本主義の社会」も、人間社会の永遠の姿では決してなく、人間社会のある発展の段階、あるいは様々な人間社会の一つのタイプでしかないというわけです。ぼくたちは、たまたま、「資本主義というタイプの社会」に生まれてきたということです。

マルクスは、そうした大きな視角から、人間社会の歴史を大きく原始の共同社会、古代の奴隷制社会、中世の封建制（武士）社会、近代の資本主義社会という四つの段階に分けてとらえました。「あくまでも大雑把に」ということで、歴史の究明が進んでいけば、より的確な歴史把握が生まれることをマルクスも前提しての区分です。加えてマルクスは、これまでの歴史が大きく何度も変化してきたのと同じように、資本主義もその次の社会にとって代わられると考えました。その可能性と必然性は資本主義の内部にあるとして、マルクスは、何より目の前の資本主義を徹底的に分析しました。その成果が『資本論』という大きな本になりました。

資本主義社会の始まりは

人間社会の未来については、先々再び立ち返ることにして、ここでは第2話の話題の最後として、資本主義社会の誕生の時期を確認しておきます。

資本主義の社会は、経済の領域に労資関係が安定して成立していることを特徴とする社会です。そこで資本主義社会の誕生は、労資関係の確立を大きな基準として判断されています。封建制社会の権力を倒し、資本主義社会の権力がつくられる政治の革命が「ブルジョア革命」（それは行きつ戻りつの一定の期間を伴う過程であり、いくつかの段階を経ることが一般的です）と呼ばれるのに対し、経済の領域でのこの変革は「産業革命」と呼ばれています。具体的には機械の発明や、機械の輸入をもとに機械制大工業と呼ばれる工場制度が広く確立するということで、これによって資本家による労働者への経済的な支配が安定的に実現されていくのでした。

というのは、機械以前の段階では、同じ労資関係であっても、雇われている労働者は熟練の技能を自分の道具をつかって発揮する、現代風にいえば職人のような人であり、彼らには「おれの腕がなければ、何もできない」とばかりに、資本家にかなりの抵抗を示すことが可能でした。そのため、それを資本家たちは罰金制度でしばろうとしたといった歴史も『資本論』には登場します。しかし、機械が発明されると熟達した職人的労働者の居場所は、どんどん狭くなっていきます。その結果、今度は資本家が労働者に向かって、「おまえの代わりは、いくらでもいる」と言うことができるようになり、経済活動の現場における資本家の支配が安定的に成立することになるのです。

世界で最初に産業革命を行ったのは、イギリスでした。一八世紀の終わりから一九世紀はじめにかけてのことで、この時期に人々の労働時間はピークに達し、同時に、労働者の健康と命を守ろうとする労働組合が各地に一斉につくられ、労働者たちのたたかいが高揚します。現代日本の労働基準法にあたる工場立法がつくられたのは、産業革命直後のことでした。

日本では徳川将軍家を頂点とする封建制の権力を打ち倒した明治政府が、欧米諸国からの「外圧」への抵抗を強く意図して、軍需主導での資本主義の育成を急ぎました。それによる産業革命の終了は、二〇世紀最初のこととなります。つまり日本での資本主義社会の歴史は、まだ一〇〇年をようやく超えた程度のものでしかなく、仮に親子の年の違いを二五年とするならば、五世代ほどさかのぼるだけで、ご先祖が暮らした社会は資本主義が成立する前の社会になっていくわけです。

こうしてみると、社会の変化は案外急速なものですね。第２話はこれでおしまいです。現代日本の社会は、まずは資本主義の社会であるということでした。

第3話　「財界言いなり」政治の実態は

第2話は、現代日本の社会をもっとも大きく特徴づける「資本主義」についての話でした。今回は、もう少し話を具体的にして、日本社会のすみずみに強い影響力をもっている「財界」について考えます。

大企業・財界が大きな顔をする資本主義へ

財界と聞いて、みなさんはどんなことを思い浮かべるでしょう? 「お金持ちの社交の場」「特注の背広を着込んで、葉巻をくわえたオジサンの集まり」、最近だと、「安倍首相としょっちゅう料亭で豪華な晩ごはんを食べる人の集まり」といったイメージもあるかも知れません。

ネットの国語辞典で「財界」の項目を引いてみると「大企業を中心とした実業家が構成

している社会。経済界」とありました。面白いのは、つづいて「財界総理」という項目があり、そこには「俗に、経団連の会長をいう。財界の意見を取りまとめ、国政に大きな影響力を持つことから」と書かれていました。

なかなかいい線の指摘だと思います。財界を考える時に、一番大切なことは、それが大資本の希望をかなえようとする、活発な「運動団体」だということですから。では、順に見ていきましょう。まずは財界誕生の歴史からです。

時代は、一九世紀末から二〇世紀の初めにさかのぼります。この時期に、自由競争を特徴としたそれまでの資本主義は、大資本による支配という新しい特徴をもつように変わります。このあたりをグッと深く究明したのは、ロシア革命の指導者でもあったレーニンという人でした（この人はいろいろな弱点も指摘されていますが、「マルクスに学び、現実を自分のあたまで考える」という姿勢をもって、学問の分野でも、政治活動の分野でも大きな足跡を残した人でした）。

一九世紀末の資本主義経済には、ヨーロッパ諸国を中心に、一八七三年から二〇年以上も続いた「大不況」と呼ばれる時期がありました。この長い不況の中で、資本同士の自由な競争はピークに達し、強い資本が弱い資本をはげしく飲み込みます。その結果、資本が労働者を搾取するという根本的な特徴を継続しながらも、合わせて、大資本が中小資本を支配するという大資本中心型の資本主義（レーニンは独占資本主義と呼びました）が生まれてきます。大資本は自分の職場の労働者だけでなく、部品や原料をおさめる中小下請資本も搾り上げるようになったのです。

資本の巨大化を支えるものとして、多くの株主から資金を集める「株式会社」という姿が急速に広がるのもこの頃です。いかにお金持ちであったとしても、大資本は、もはや少数者の自前のお金で経営できる規模ではなくなっていったということです。

こうした資本主義経済の変化の中で、欧米諸国に「経営者団体」が生まれてきます。最初は産業分野ごとの業界団体でした。たくさんの資本が競争する、それまでの自由競争段階の経済では、資本の意見をまとめることは大変です。しかし、少数の大資本（レーニンは独占資本と呼びました）同士であれば、意見の調整はずいぶん簡単になってきます。「値下げ競争はやめよう」「値上げは同じ日に同じ額だけ」といった価格協定に代表される各種の協定（お互いの競争を制限するための約束）があちこちに生まれるようになってきます。そういえば現代日本でも、ビール大手の四社は、必ず「足並みをそろえて」値上げしますし、大資本による「うちの商品は安い」というテレビCMは、めったに見ることがありませんよね。テレビで「安さ」を売り物にしているのは、一部の量販店やネット通販くらいでしょうか。

さらに大資本は、産業分野ごとの枠を越えて、あらゆる分野を横断する総合的な「経営者団体」をつくっていきます。これが今でいう「財界」の始まりです。まだ国民が主権者である国が少ない時代のことですが、強力な資金力をもとに、財界団体は政治家たちを買収し、新聞などのメディアも利用して、社会のすみずみに支配の手を伸ばしていきます。レーニンはこういう社会の特徴を、当時の多くの研究者と同じく「金融寡頭《かとう》制」と呼びました。大資本家を中心とした大金持ちによる社会の少数者支配ということです。

これが財界誕生の経過です。人に歴史があるように、資本主義にもいろいろな歴史や段階があるものですね。

日本財界の誕生と戦後の復活

次に、現代日本の財界とその活動の実際を見ていきましょう。現在、日本の財界団体は、大きく次の三つを中心としています。一つは、一三〇〇人以上の資本家が集まり、討議・調査・研究に主眼を置いて、同時に社会に向けて活発な意見の表明（発信）を行っている経済同友会です。財界のオピニオン・リーダーと呼ばれることもあります。二つ目は、全国五一四の商工会議所を通じて、二一六万の事業所をたばねる日本商工会議所（日商）です。みなさんの暮らす街にも、商工会議所があったり、それをつくろうとする取り組みがあったりするかも知れません。そして、三つ目が、財界全体のど真ん中にどっしりすわり「財界総本山」と呼ばれることもある日本経済団体連合会（日本経団連）です。一四〇〇以上の大資本・業界団体・地方団体でつくられる日本経団連は、財界全体の要望を一つにまとめ、それの実現にむけて、政府をはじめ社会の各分野に働きかけることを仕事としています。先ほどの国語辞典が「経団連の会長」を「財界総理」と呼んでいたように、日本経団連は財界団体の中心を成す組織です。これら三つの団体には同じ資本や個人による役員の重複や移動もたくさん見られます。

少し歴史を振り返るなら、日本の財界団体は、一九二二年の「日本経済聯盟《れんめい》会」に始まります。その後、何度も組織を再編しながら、財界団体は次第に力を大きくしていきます。一八九四年の日清戦争から、日本はアジアへの侵略を繰り返し、拡大していきますが、時々の財界団体も戦争を推進する大きな役割をはたしていきました。そのため、敗戦後、連合国を代表して日本を軍事占領（一九四五～一九五二年）したアメリカは、軍部や政治家だけでなく、「財閥」（一族経営を特徴とする大企業集団）についても「（戦後）日本における最大の戦争潜在力」（ポーレー報告）と指摘しています。占領軍による厳しい監視のために、一九四六年につくられた経済団体連合会（経団連）は、正副会長を決めることができませんでした。代表的な人物が、いずれも侵略戦争への協力者たちだったからです。

ところが一九四七〜一九四八年に、アメリカは占領の目的を、日本を二度と侵略戦争をしない小国にするというポツダム宣言（連合国による対日占領方針）の路線から、「アメリカいいなりの軍事大国」に育て上げるという路線に転換します。ポツダム宣言の合意を投げ捨ててしまうのです。

それによって財界やその指導者たちの位置づけも、監視の対象から活用の対象へと変わっていき、その中で、一九四八年に経団連初代会長・石川一郎が選出されることになっていきます。石川も戦時中、化学産業の分野で、国家による産業統制を推進する役割を果たした人物でした。また日本経営者団体連盟（日経連）が、占領軍が主導した日本社会の「戦後改革」（その中には、労働組合の結成や経済の民主化などが含まれました）におびえていたのがうそのように、一九四八年、「経営者よ、正しく強かれ」と自信に満ちた宣言を発表して設立され、さらに、一九四六年に「企業経営の民主化」をかかげた「修正資本主義」を主張して発足した経済同友会も、占領政策転換の中で「修正」の路線を撤回していきます。

こうして戦後日本の財界は、アメリカの占領政策に導かれ、またアメリカの意向に従うことによって、経済的な支配者の地位に復活することができたのでした。なお、今日の日本経団連は、二〇〇二年に経団連と日経連（日本経営者団体連盟）が統合したものです。

政府のトップの会議に入り込んで

日本経団連の今の会長は榊原定征氏で、東レ（化学会社）の出身です。副会長には、製造、保険、金融、証券、運輸、資源、通信、商社と、広い分野から一八人が選ばれていま す（以上、二〇一五年六月現在）。それでも、小売業やサービス業が入っていないことについては、財界内部からも一定の批判があり、また二〇一二年にはインターネットビジネスの推進に特化した「新経済連盟」（代表理事・楽天の三木谷浩史）が新しくつくられました。しかし、現時点で、日本経団連が財界全体の最上位に位置する財界指導部であることはまちがいありません。

二〇一五年六月二日の定期総会（年一回）で、日本経団連は二〇一五年度の「事業方針」を決めました。そこには次のような政策課題がふくまれました。社会保障を抑制しながら「二〇一七年四月の消費税引上げを確実に実現」し、「法人実効税率を早期に二〇%台へ引下げる」。原発は再稼働し、「二〇三〇年原発比率二五%超を含む適切なエネルギーミックスを策定」する。地域活性化の名目で「企業による農業参入の促進や農地集積の推進による経営規模拡大」を促進する。ＴＰＰは大企業の成長に「必要不可欠」。この他にも、高齢者・女性・外国人労働力の安価な活用や、企業に奉仕する人材づくりのための教育改革などとなっています。もうけの拡大に向けた大企業のホンネが、あきれるほどにずらりと並んでいるといっていいでしょう。

では、このホンネを、財界はどうやって実現しようとしているのでしょう。一つの方法は「寄附」という名前での政治の買収です。ここはレーニンが分析した一〇〇年前とほとんど変わりません。

二〇一三年一月に発表した「国益・国民本位の質の高い政治の実現に向けて」という文書で、日本経団連は、われわれの意見を各政党がどの程度実行しているか、また実行しようとしているかを評価し、それにもとづいて「政治寄附」を行うことをあらためて表明しています。要するに「財界言いなり」政党には、たくさんお金をあげますよ、ということです。

また同じ文書は、一二年末に発足した安倍政権が、経済政策推進の「司令塔」として経済財政諮問会議を復活し、日本経済再生本部を置いたことを高く評価しました。財界が政治を動かす二つ目の重要な方法は、このような政府の各種司令塔に財界人を送り込むということです。

現在、経済財政諮問会議には、榊原定征（日本経団連会長）、新浪剛史（経済同友会副代表幹事）氏が入っています。また、日本経済再生本部は大臣だけの会議ですが、その下にあって「成長戦略」を具体化する産業競争力会議には、小林喜光（三菱ケミカルホールディングス社長、経済同友会代表幹事）、佐々木則夫（東芝副会長、日本経団連副会長）、三村明夫（新日鉄名誉会長、日本商工会議所会頭）、三木谷浩史（楽天会長兼社長、新経済連盟代表理事）、岡素之（住友商事相談役）、金丸恭文（フューチャーアーキテクト会長兼社長）、小室淑恵（ワーク・ライフバランス社長）の各氏が入っています。様々な分野からの財界人勢ぞろいといった陣容です。この二つの会議はまるで財界に乗っ取られたかのような状態で、ここが「残業代ゼロ」や「生涯ハケン」制度もふくむ「財界いいなり政策」の本当の発信源となっています。

現代日本の社会は、資本主義の社会であるだけでなく、財界団体が少数の大資本の意向を、政府をふくむ社会のすみずみに染み込ませる「大資本中心の社会」となっています。

第4話　〝アメリカ言いなり〟のはじまりは

第2話と第3話では、日本社会を「政治と経済」という角度から考えてみましたが、次は角度を変えて、日本とアメリカとの国際関係についてです。日中関係、日韓関係など、大事な国際関係はたくさんあるのに、どうしてここで日米関係をとりあげるのか。それはこれが、現代日本社会のあり方に、決定的ともいえる強い影響力をもっているからです。

新旧二つの日米安保条約

二〇一四年一月の沖縄県知事選挙は、名護市の辺野古に新しい米軍基地をつくるかどうかを最大の争点として、基地をつくらせないとする翁長雄志《おながたけし》知事が誕生しました。さらに二〇一四年一二月の衆議院選挙では、すべての小選挙区で基地をつくらせないとする「オール沖縄」の候補が勝利しました。沖縄県民の世論は明快であり、最近では、全国の世論を見ても、基地建設を強行しようとする日本政府の姿勢については、これを批判する声が多数となっています。辺野古での新基地建設問題は、国民意識の面で見ても、いよいよ全国的な問題になってきているということです。

さて、現在、日本には一三〇ほどの米軍基地があり、その七〇パーセント以上が沖縄に集中しています。そもそも、どうして日本にはこんなにたくさん米軍基地があるのでしょう?

そうです。それは日米安保条約にもとづいてのことです。日本とアメリカの国家間の約束である日米安保条約には、こんな文章があるのです。

「日本国の安全に寄与し、並びに極東における国際の平和及び安全の維持に寄与するため、アメリカ合衆国は、その陸軍、空軍及び海軍が日本国において施設及び区域を使用することを許される」（第六条）。

「日本国の安全」や「極東」の平和のためなら、〝施設や土地をいくらでも提供しますよ〟という約束を日本側は行っているわけです。ちなみに、ここに登場する「極東」というのは、ヨーロッパ（特にイギリス）を中心に置いた世界地図で、東の端にくるのが東アジア地域だったので、そこからつけられた名前です。地名にも世界の歴史が表われるのですね。

〝でも、アメリカに日本の安全を守る気なんてあるのでしょうか〟というもっともな疑問は、ここではとりあえず脇において、話を先に進めます。この条約は、いつ、どんな状況の下で結ばれたかをご存じでしょうか？　「いつ」については、一九六〇年が正解です。そして「どんな状況の下で」については、国論は大きく二分され、安保闘争と呼ばれる国民の大反対の取り組みを押し切って、時の岸信介《のぶすけ》首相が、無理やり成立させたものだということでした。岸首相は、安倍首相のおじいさんですが、どうも安倍さんはこの「無理やり」という政治運営の方法を、おじいさんから学んでしまったようですね。歴史の事実としては、岸首相はこの「無理やり」のために、首相の座を降りることになったのですが。

ところで、この条約には、その「前」がありました。そのため、一九六〇年に成立した安保条約は「新安保条約」と呼ばれることもあります。その前に「旧安保条約」が結ばれていたからでした。

旧安保条約の発効、つまり条約が効力を発揮するようになったのは、一九五二年四月二八日のことでしたが、これは、いったい何の日だったかご存じでしょうか？　正解は、アメリカによる占領状態が終わり、日本が「独立」を回復した日です。サンフランシスコ講和条約にもとづいてのことでした。連合国各国と日本の間でこの条約の内容が話し合われたのが一九五一年九月に行われたサンフランシスコ講和会議で、この条約に各国が調印したのは九月八日のことでした。

ただし、この会議には、「米ソ冷戦」を背景としたアメリカなどの政治的な思惑や、それへの日本の同意もあって、連合国の一員だった中華人民共和国、中華民国、日本が植民地支配した北朝鮮、韓国は招請されず、それを不満に思ったインド、ユーゴ、ビルマは不参加、さらに中国などを出席させるよう求めたソ連、ポーランド、チェコは会議には参加しましたが、条約には調印しない不正常な結末の会議となります。こうして日本は、戦争をしたすべての国との和解（全面講和といわれました）ではなく、アメリカが日本に許した国とだけ和解（片面講和といわれました）するという、ずいぶん偏った形で戦後世界に復帰することになったのでした。

そのサンフランシスコ講和条約の調印の日、ひっそりと日米二国間だけで結ばれたのが、最初の安保条約です。そこには、すでにこう書いてありました。

「平和条約及びこの条約の効力発生と同時に、アメリカ合衆国の陸軍、空軍及び海軍を日本国内及びその附近に配備する権利を、日本国は、許与し、アメリカ合衆国は、これを受諾する」（第一条）。

この時点で日本は、アメリカ軍が日本国内に基地をもつ権利をアメリカに〝どうぞ〟と渡してしまっていたのです。そうか、これが、日本に米軍基地がたくさんつくられるきっかけだったのか。

日本全土の軍事占領

いいえ、実はそこにも、もっと「前」がありました。それは米軍による日本の占領でした。一九四五年に戦争に負けた日本は、連合国を代表した米軍によって軍事占領されました。一九四五年八月から一九五二年四月まで、足かけ八年も続いたこの占領の中で、日本は〝アメリカへの言いなり〟をふくむ、今日の社会の基本的なしくみをつくりあげました。基地は、この軍事占領期に、日本全土にたくさんつくられていたものです。

ただし、ここには、さらに複雑な話がありました。米軍の占領政策というのが、足かけ八年の途中で、グルリと大きく転換したのです。占領直後からの最初の時期に、米軍は日本を平和・民主主義の国につくりかえようとしましたが、一九四七〜四八年以降には、日本を〝アメリカ言いなりの軍事大国〟に育てる道を進みます。そして、この後半の道は、日本をアメリカの軍事基地国家につくりかえるという道でもありました。この点を、もう少し詳しく見てみましょう。

一九四五年八月一四日に、日本政府は「ポツダム宣言」の受諾を、連合国側に回答します。ポツダム宣言というのは、日本の降伏と戦後改革の方向を示した連合国側の一三カ条の宣言です。アメリカ、イギリス、中国の名前で発表されたものでした（日本の降伏前にソ連も署名）。そして、その翌日の八月一五日に、昭和天皇が戦争を終えることを国民にラジオで伝えます。「玉音放送」というやつです。「たえがたきを、たえ、しのびがたきを、しのび」というあれですね。この音声や光景は、テレビで見たり、聞いたりしたことのある人もいるかもしれません。

そして続く九月二日になって、日本は連合国への降伏文書にサインします。東京湾に停泊したアメリカの戦艦ミズーリの上でのことでした。こうした経過ですから、日本では八月一五日を終戦記念日としていますが、連合国側には九月二日を対日戦勝記念日とする国も多くなっています。

日本が八月一五日を記念日としたのは、昭和天皇の「御聖断」（聖なる決断）によって平和への道が開かれた、昭和天皇は平和を愛する人なのだという新しい「神話」をつくるしかけにもとづくものでした。侵略戦争中のこの国の最高権力者で、軍隊の最高責任者だったのですから、平和の人も何もないものですが、しかし、戦後に天皇制と昭和天皇を生き長らえさせようと、こうした姑息《こそく》な手段がとられたのです。「降伏」を「終戦」とごまかしたのも、戦争を開始し、国内外に多くの犠牲者を出した戦争指導者の責任を、できるだけ曖昧《あいまい》にしておきたいとの思惑からでした。

さて、話を元にもどしていくと、ポツダム宣言受諾回答の半月後、八月二八日には、米軍が日本本土に上陸してきます。二日後の八月三〇日には、ダグラス・マッカーサー陸軍元帥が、サングラスにコーンパイプという姿で、神奈川県・厚木の海軍飛行場に降り立ちました。マッカーサーは連合国軍最高司令官に就任しており、一〇月には、その総司令部（ＧＨＱ）を東京につくります。以後、ここが戦後の占領政策遂行の最高司令部となっていきます。

平和・民主の日本をめざしたポツダム宣言

日本はポツダム宣言を受け入れて、連合国に降伏しました。日本の敗北については、時々、無条件降伏という言葉もつかわれますが、その内実はポツダム宣言が与えた諸条件をすべて受け入れた上での降伏ということです。それは拒否することのできないものでした。

ポツダム宣言には、次のような趣旨の文章がふくまれました。

「日本国民を欺《あざむ》いて世界征服に乗り出す過ちを犯させた勢力を除去する」（第六条）。

「捕虜虐待を含む一切の戦争犯罪人は処罰される」「言論、宗教及び思想の自由並びに基本的人権の尊重は確立される」（第一〇条）。

「日本国国民が自由に表明した意思により、平和的傾向の責任ある政府が樹立されれば占領軍は撤収する」（第一二条）。

要するに、戦後の日本を、再び侵略戦争をすることのない平和な国につくりかえようというものです。何せ日本は、一八九四年の日清戦争から数えれば五〇年以上も侵略を繰り返した、二〇世紀の世界に例のない侵略大国でしたから。この方針にもとづく日本の改革が、ＧＨＱの中心的な仕事となりました。

マッカーサーの行動はなかなかすばやく、一九四五年一〇月には、時の幣原喜重郎《しではらきじゅうろう》首相に「五大改革指令」を伝えています。このように占領期間中も日本に政府はありましたが、その基本的な役割は、ＧＨＱが命ずる占領政策の実施を下請けするということでした。

マッカーサーの「五大改革」は、①女性にも選挙権を与え、女性を無権利状態から解放する、②公正な労資関係をつくるために、労働組合の結成を促進する、③政府の思惑に左右されることのない、民主的な学校教育の制度をつくる、④民主主義を弾圧した秘密警察（特高警察）を廃止し、思想・信条を理由に投獄された「政治犯」を釈放する、⑤少数の大資本（財閥）の横暴がまかり通る経済の仕組みを、自由な競争にもとづくものに改革す

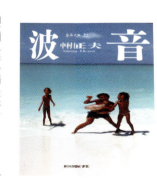

る、といったものでした。

日本国憲法制定への道

同じ一〇月に、マッカーサーはそれまでの大日本帝国憲法に代わる新憲法の制定を指示します。幣原内閣は憲法担当大臣に松本烝治を就けました。これを受けて、各種政党も新憲法についての意見を述べていきます。焦点は「主権者は誰か」という点にありました。

一九四五年一一月に、日本共産党は「主権は人民にある」と主張しました。四六年一月になると日本自由党が「統治権の主体は日本国家」「天皇は統治権の総攬《そうらん》者」とします。二月には日本進歩党が「天皇は臣民の輔翼《ほよく》により憲法の条規に従い統治権を行う」として、いずれも天皇による「統治」を主張しました。同じ二月に、日本社会党が「主権は国家(天皇を含む国民協同体)にあり」と述べますが、これもまた天皇主権に道を残すものとなっていました。

この間、政府は独自に新憲法案を作成し、四六年二月八日、松本大臣がＧＨＱにこれを提示します。しかし、その内容は「天皇は至尊にして侵すべからず」など、旧来の大日本帝国憲法を基本的に引き継ぐものでしかありませんでした。日本政府の中には天皇を唯一の権力者とした戦時中の「国体」が、戦後もそのまま認められるという思い込みがあったのです。

これにあきれかえったGHQは、自ら憲法草案の策定に乗り出します。そして、四六年二月一三日にGHQ案が日本政府に渡されます。そこには「ここに人民の意思の主権を宣言し」との文言が含まれました。

これを受け取った日本政府は、三月六日に「憲法改正草案要綱」を、つづけて四月一七日には「憲法改正草案」を発表します。しかし、主権者が誰であるかについては、「国民の総意が至高なものであることを宣言し」という、実に曖昧な文章に書き変えられていました。この政府案をもとにして、六月から一〇月まで憲法制定議会が開かれます。直前の四月一〇日には、女性参政権をはじめて認めた上での衆議院選挙が行われ、議論にはたくさんの女性議員も加わりました。

新憲法に「主権在民」の明記を求める力は、内外双方で発揮されました。一つは、七月二日に連合国側の対日政策を決定する最高機関である極東委員会が、「日本の新憲法についての基本原則」を発表し、ここで「日本国憲法は、主権が国民に存することを認めなければならない」ことを主張しました。二つには、七月二五日に、日本共産党が主権在民の明記を求める「修正案」を提起します。

そして、二五条の生存権の追加や、ＧＨＱからの要望も汲《く》んだ修正案が、貴族院でも衆議院でも可決され、この「帝国憲法改正案」は昭和天皇の裁可《さいか》をへた後（裁可というのは、大日本帝国憲法が定める手続きにもとづいて、議会が議決した法律案・予算案を天皇が承認することです）、一一月三日に「日本国憲法」として公布され、半年後の一九四七年五月三日に施行されました。こうした議論の結果、この憲法には「主権が国民に存することを宣言し」という文言が明記されたのです。

安倍首相は、自身のホームページで、こうした憲法制定の過程を「二月一三日にＧＨＱから日本側に急ごしらえの草案が提示され、そして、それが日本国憲法草案となったのです」と、日本側の議論がまるでなかったかのように書いていますが、事実はこのように、議会での修正もあれば、天皇による裁可もあっての決定でした。

基地・戦争と無縁の平和憲法

最後に、在日米軍基地問題にもどっておけば、憲法前文は、「日本国民は、恒久の平和を念願し、人間相互の関係を支配する崇高な理想を深く自覚するのであつて、平和を愛する諸国民の公正と信義に信頼して、われらの安全と生存を保持しようと決意した」としています。

くわえて「第二章・戦争の放棄」の唯一の条項である第九条は、次のように述べています。

「日本国民は、正義と秩序を基調とする国際平和を誠実に希求し、国権の発動たる戦争と、武力による威嚇《いかく》又は武力の行使は、国際紛争を解決する手段としては、永久にこれを放棄する」（第一項）。

「前項の目的を達するため、陸海空軍その他の戦力は、これを保持しない。国の交戦権は、これを認めない」（第二項）。

戦後日本が、これらの精神を国づくりの原則としてしっかり貫いていれば、今日の日本にこんなにたくさんの米軍基地が存在することはなく、また毎年世界有数の軍事費をかけて整備される「自衛隊」という名の軍隊が創設されることもなかったでしょう。しかし、すでにふれたように、残念ながら、歴史はそのようにスムーズには進まなかったのでした。

第5話　〝海外で戦争をする国〟へ向けて

第4話では、基地問題に焦点をあて、現在の日米関係を、戦争直後の軍事占領にまでさかのぼって考えてみました。ここでは、日本の再軍備や日米軍事同盟の強化など、そこから現在までの戦争と平和をめぐる日本の歴史をもう一度たどってみて、今のようなアメリカへの軍事的な従属を抜け出す道を考えてみます。

米ソ「冷戦」と占領政策の転換

アメリカは一九四七年から四八年にかけて、日本の占領政策を大きく転換しました。その背景にあったのは、「冷戦」体制（アメリカを頂点とする資本主義諸国の同盟と、ソ連を頂点とする「共産主義」諸国の同盟の深刻な敵対関係）が、世界に急速に広がったことでした。

意外に思われるかも知れませんが、終戦当初、アメリカは、東アジアにおけるアメリカの主な軍事拠点を、中国に置こうと考えていました。第二次世界大戦中、中国（中華民国）とアメリカは同じ同盟国同士でしたし、戦後もアメリカは蔣介石が率いる国民党政権を支援して、中国への軍事援助をつづけていたのです。ところが、その後、中国国内の状況が変わってきます。日本による侵略と戦うために行われていた国共合作（国民党と共産党の提携）が解かれ、再び、中国に内戦が起こります。ついに、一九四九年には毛沢東が率いる共産党の政権が、中華人民共和国の建国を宣言し、国民党の蔣介石らはそれまで中国の一部だった台湾で、中華民国を名乗るほかなくなってしまったのです。

そうした状況の変化は、アメリカにも事前に察知されるところとなりました。また一九四八年には、朝鮮半島が南北に分かれ（日本が植民地支配を行うまでは、朝鮮は一つの国だったのですが）、北をソ連側が、南をアメリカ側が支援するという新しい軍事的な緊張も生まれてきました。

こういう東アジア情勢の急速な変化を見て、アメリカは、日本を「アジアにおける反共の砦《とりで》にする」（一九四八年一月、ロイヤル陸軍長官）という方針を明確にしていきます。使えると思っていた中国が、使えなくなったので、いま掌《てのひら》に乗っている日本を、代わりに東アジアにおけるアメリカの軍事拠点にしようと決めたのです。「反共の砦」というのは「共産主義とたたかうための軍事拠点」ということでした。こうしてアメリカは、日本を平和・民主の国にするという連合国全体の合意であったポツダム宣言を、一方的に投げ捨てました。

そのアメリカが日本にただちに求めてきたのは、憲法第九条を「改正」しろということです。国防長官あてのロイヤルの覚書「日本の限定的再軍備」（四八年五月一八日）は、「防衛のため日本の軍備を最終的に認めるという見地から日本の新憲法の改定を達成するという問題が探求されるべきである」と述べ、これが四九年二月にはアメリカ統合参謀本部の公式決定となっていきました。戦争をしない平和国家ではなく、アメリカの軍事拠点が置かれる国家になり、さらに自前の軍隊も創設し、アメリカとともにたたかう同盟国になれということです。

こうした〝アメリカいいなり国家〟をつくるために、GHQは、それまでの戦争推進勢力は処罰するという方針も転換します。戦争を開始し、平和を破壊した罪を疑われたA級戦犯容疑者は、すでに一〇〇名以上が巣鴨の拘置所にとらえられていました。しかし、A級戦犯を裁く極東軍事裁判（いわゆる東京裁判）は、最初の二八名の審理を終えたところで終了します。そして四八年一二月二三日に、東条英機ら七名が処刑されますが、その翌日にはA級戦犯容疑者だった岸信介《のぶすけ》ら一九名が釈放されます。アメリカにとって「使える人材」だからということです。

実際、後に岸は、九条「改正」を焦点とした自主憲法制定を目指す自由民主党を結党（一九五五年）し（岸は自民党の初代幹事長になります）、六〇年には首相として、アメリカとの共同戦争を約束する新安保条約を実現しました。岸と同じ日に巣鴨の拘置所を出た小佐野賢治や笹川良一は、親米反共右翼の頭目として、戦後政治に大きな影響を与えます。首相退陣後の岸も、晩年まで政治に大きな力を行使し、「昭和の妖怪」と呼ばれました。

再び軍隊を――自衛隊の発足へ

一九五〇年六月二五日には、朝鮮戦争が始まります。東アジアに勢力を広げたいとするスターリン・ソ連の思惑のもと、北朝鮮が南に軍隊を進めたのです。この直前の五月三日には、四九年の選挙で四議席から三九議席に躍進していた日本共産党が非合法化されていきます。さらに六月六日には共産党の中央委員が、六月七日には「アカハタ」の編集部が公職追放されました。公職追放は、本来、侵略戦争を推進した人物を、戦後、新聞や政府や企業などの要職に就けない目的で実施されたものですが、この時期にはレッドパージ（赤狩り）の名で、共産党員やその支持者らにも向けられるようになっていました。

アメリカ軍による戦後占領の仕組みを「間接統治」と呼ぶことがありますが、最大時五〇万の軍隊を駐留させ、四九年には下山事件・三鷹事件・松川事件などの謀略ともいわれる事件を利用して日本政府の頭越しに、直接、日本の労働運動を弾圧するなど、実態は「間接」のイメージからはほど遠い、きわめて強圧的なものでした。

ＧＨＱは、政治家や旧軍人の公職追放解除も進めていましたが、関連して、一九五〇年六月八日に、吉田茂首相はマッカーサーに次の文章を含む手紙を届けます。「都市や農村において共産主義と闘う方法として、私は旧陸海軍の下級士官、町村長、大政翼賛会の支部長といった、数多くの雑兵たちが、再び希望を持ち正常で有益な生活を取り戻すよう、彼らが追放から解除されることが、時宜にかない有効で必要なことであると信じます」。戦争を推進した人々の追放解除を、全面的に進めてほしいということです。

同時に、日本の再軍備も進められました。日本にいたアメリカ軍の全体が、七月上旬には朝鮮半島に移動することになります。その時に、日本国内での反戦運動の高揚を恐れたマッカーサーは、七月八日、吉田首相に「日本警察力の増強に関する書簡」を届け、八月一〇日に警察予備隊を創設させたのです。目的は日本の治安維持であり、その力は日本人に向けられたものでした。

一九四五年の帝国軍隊の解体により、日本は軍隊のない国になりましたが、ここから、軍隊をもつ国への逆転が始まります。警察予備隊には旧帝国軍隊の職業軍人が多数参加しました。使用する武器も米軍が提供し、訓練は米軍基地内で行われました。与えられた武器は通常の警察活動に必要な範囲を大きく越え、アメリカのジャーナリズムはこれを「星条旗をまとったアジアの軍隊」と呼びました。顔は日本人だが、実態は米軍なのだということです。

その後、五一年に公職追放の大幅解除が実施され、五二年のサンフランシスコ講和条約の発効とともに、公職追放令は廃止となります。この日をもって、アメリカによる日本の軍事占領は終了しますが、旧安保条約の発効により、日本はアメリカへの基地提供の義務を負うことになりました。また、講和条約によって小笠原と沖縄は、アメリカの施政権下に移されます。四五年三月からの沖縄戦によって始まった米軍による軍事占領は、沖縄にはそのまま残されることになったのです（小笠原の返還は六八年、沖縄の返還は七二年となりますが、沖縄での横暴な米軍基地支配は今もつづいています）。

一九五二年七月、警察予備隊は保安隊に改組されました。さらに一九五四年三月の日米相互防衛援助協定（ＭＳＡ協定）により、日本は「自国の防衛力の増強」義務をアメリカに対して負いました。そして四月、保安隊は自衛隊に改組されます。こうして自衛隊は、平和・民主の国から、〝アメリカいいなりの軍事国家〟へというアメリカの大きな方針転換の中で、アメリカが行う戦争への協力をそもそもの目的としてつくられたものなのでした。

日米共同で戦争を

その後、アメリカは、自衛隊を米軍の手下として、より広く活用するための筋道を整えていきます。日本政府の側にも、それを利用して、再び世界に対する日本の影響力を強めたいという野心がありました。

一九六〇年に結ばれた新安保条約の第五条は、「日本国の施政の下にある領域における、いずれか一方に対する武力攻撃」があった場合、「共通の危険に対処するように行動する」とされています。これは、日本が外国から攻撃される場合のみを想定したものではありません。

在日米軍が海外で戦争をすれば、戦火が日本の米軍基地におよぶ可能性が出てきます。その時に、自衛隊は、「日本国の施政の下にある」在日米軍基地への攻撃だからという理由で、「共通の危険に対処する」ための軍事行動をとるということです。つまりこれは、アメリカと共同で、外国と戦争を行う義務を負うということなのでした。

なお、新安保条約の第二条は、経済協力条項と呼ばれるものです。日米両国は「その国際経済政策におけるくい違いを除くことに努め、また、両国の間の経済的協力を促進する」となっています。アメリカは石炭から石油へのエネルギー資源の転換や、九〇年代以降の「構造改革」の要望など、戦後日本の経済政策に強い発言権をもってきましたが、これは、そうした経済介入の条約面での最大の根拠となっています。

一九七八年には、日米共同の軍事行動の具体化が、公然と進められました。日米防衛協力の指針（ガイドライン）の作成です。それは、ソ連による日本侵攻を想定してのものでした。しかし、一九九一年にソ連は崩壊します。ここからアメリカは日米共同の軍事行動の範囲と目的を大きく転換していきます。九六年の日米安保共同宣言では、共同行動の範囲がアジア太平洋地域とされました。この転換にそって一九九七年には新ガイドライン（ガイドラインの改定）が合意され、一九九九年には日本に周辺事態法がつくられました。これは、日本の安全に大きな影響を及ぼす事態を「周辺事態」と呼び、これに日米共同で対処するとしたものです。この時、国会での「周辺とはどの範囲までか」という質問に、橋本龍太郎首相は「地理的概念ではない」と、これを無限に広げられるかのような答弁をしました。

国内でも、日米の軍事協力をエスカレートさせる議論が拡がります。二〇〇三年、日本はアメリカのイラク戦争に賛成し、戦後初めて自衛隊を戦地に送りましたが、この時、小泉純一郎首相は同盟国の戦争には協力する義務があるという、きわめて乱暴な議論を展開しました。日本に危険がおよぶ可能性があるかどうか、アメリカの戦争に大義があるかどうかといったことの確認もする必要がないという、無条件での対米軍事追随論です。

あわせて二〇〇〇年代に強まったのは、改憲に向けた動きです。「自衛」という枠にしばられないで〝戦争をする国〟をつくるという、九条の「改正」を主要な原動力としてのものでした。

そして、二〇一四年七月一日、安倍内閣は集団的自衛権の行使容認を閣議決定します。外国から攻撃されることがなくても、アメリカが「アメリカの自衛のため」と叫んで戦争を始めれば、日本はこの戦争に参加することを可能にするというものです。

憲法第九条は「日本国民は……国権の発動たる戦争と、武力による威嚇又は武力の行使は、国際紛争を解決する手段としては、永久にこれを放棄する」「国の交戦権は、これを認めない」としていますから、この決定は、何をどう考えても憲法違反です。

以上、二回にわたっての話となりましたが、現代日本の社会をとらえる時、この国の特に外交・軍事政策が〝アメリカいいなり〟の状態にあるということは、欠かすことのできない社会科学的視点となっています。

第6話　世界の大きな変化と時代遅れの日米同盟

第5話では、アメリカの戦争への協力を目的とした警察予備隊の発足から、アメリカの戦争に自ら参加しようとする集団的自衛権容認の問題まで、軍事協力の深まりを中心に戦後の日米関係を見ておきました。ここでは、もう少し視野を広げて、力の強い国が弱い国を支配する時代から、独立した各国が対等に、話し合いを通じて平和と共同をめざす時代への、世界全体の大きな変化を取りあげます。それが日本の国際的な地位と役割を明らかにする意味をもつからです。

世界が大国に引き裂かれた時代

軍事力の強い国が、まわりの国や地域を襲って、自分の国に組み入れる。あるいは、自分の子分にしてしまうということは、人間が戦争をはじめた最初から、繰り返し、行われてきたことです。日本にも、中国（当時の元《げん》＝蒙古《もうこ》）の攻撃を受けた鎌倉時代の「元寇《げんこう》」がありましたし、逆に、初めて天下を統一した豊臣秀吉が、朝鮮をわがものにしようと、大量の武士を送ったこともありました。

そのような歴史の中で、力による他国への支配が飛躍的に強められるのは、何といっても、一九世紀の終わりから二〇世紀初頭にかけてのことでした。イギリス帝国、フランス植民地帝国、大日本帝国など、この時代には「帝国」を名乗る国がいくつもありましたが、帝国というのは植民地を保有する「本国」と、保有される「植民地」の全体を指した言葉です。レーニンは『帝国主義論』という本の中で、ズーパンやヒューブナーなどの研究をもとに、一九一四年時点で、世界の地上面積の六〇パーセント以上が、六大国（イギリス、ロシア、フランス、ドイツ、アメリカ、日本）の手に落ちていることを示しました。

一八七六年に六大国が支配していたのはその半分だったそうですから、この期間の変化がいかに急速なものだったかがわかります。そうした急速な変化の土台になったのは、大国における資本主義経済の新しい発展でした。すでに見たように、この時期は、自由競争の資本主義が、一八七三年からの「大不況」期を経て、大資本中心型の資本主義へと変わっていく時期です。大資本は、各種の協定を通じて国内の市場を分け合い、財界団体をつくって政治に大きな影響を与えるだけでなく、さらに海外に目を広く向けて、各国の資源や労働力を安く手に入れ、もっぱら自国の商品のみを購入してくれる海外市場を確保しようとしていきました。それを最も確実にする手段として選ばれたのが、植民地の拡大だったのです。

一九一四年には、イギリス、フランス、ロシアを中心とする「協商国」（あるいは連合国）グループと、ドイツ、オーストリア・ハンガリー、イタリアを中心とする「同盟国」グループの間に、第一次世界大戦が起こりました。これはどちらの側からしても、相手の植民地を奪い、自分たちの支配圏を広げることを目的とした文字どおりの帝国主義戦争でした。もはや南極大陸以外に、どの大国のものでもない地域・国はほとんど残っていない――そういう事情の下で、先のような各国大資本の要求は、他国から植民地を奪い取ることによってしかかなえられなくなっていたのです。

この戦争に勝利したのは「協商国」の側でしたが、その結果、たとえば敗戦国ドイツの植民地は、イギリス、フランス、日本などに再分割されていきました。もちろん植民地に暮らす人々から見れば、これは単に支配者の交代を意味するものでしかありません。

植民地体制の劇的な崩壊

一九三九年になると、ドイツがポーランドに攻め込んで、第二次世界大戦が始まります。ドイツ、日本、イタリアなどの「同盟国」（あるいは枢軸《すうじく》国）グループが、それまでの植民地の分け前に飽き足らず、自分たちの領土の拡大を目的として戦争を始めたのです。日本は一九三一年の「満州事変」をきっかけに中国本土に進軍し、一九三七年には、すでに中国との全面戦争に入り込んでいました。目的は、アジア・太平洋地域に巨大な大日本帝国を建設するということで、後に日本はこれを「大東亜共栄圏」と呼ぶようになっていきます。

しかし、この戦争の最中に、アメリカ、イギリスなどの「連合国」側には、植民地の拡大を否定する動きが起こってきます。一九四一年にアメリカとイギリスが大戦後の世界について話し合った「大西洋憲章」が、戦争に勝利しても互いの領土拡大を行わないことを決めたのです。このことは、四二年に連合国二六カ国が合意した「共同宣言」にも組み入れられていきました。

一九四三年にイタリアが、四五年にドイツと日本が降伏し、第二次世界大戦は終結します。犠牲者は六〇〇〇万人とも八〇〇〇万人ともいわれる大変な戦争でしたが、軍事力で植民地の拡大を求める「同盟国」側が敗れたことは、世界の歴史にとっての不幸中の幸いというべきでしょう。

敗戦によって「同盟国」は、植民地を失います。日本も朝鮮、台湾、「満州国」などを失いました。しかし、「連合国」側は、自らの植民地を自分から手放そうとはしませんでした。植民地の新たな拡大は行わないが、すでに持っているものは手放さない――そういう姿勢だったのです。そのことは「連合国」の主導で一九四五年に創設された国際連合の「憲章」に、「人民の同権及び自決の原則の尊重に基礎をおく諸国間の友好関係を発展させる」（第一条）と書きながら、植民地の解放は書き込まなかったことにも現われました。

なお、ソ連はこの戦争の結果として、日本本来の領土であった千島列島などを日本から奪い取りますが（サンフランシスコ講和条約第二条C項で日本が領土を放棄）、これは、格別に強い領土拡張主義に冒されたソ連と、ソ連の対日参戦と引き換えに領土の提供を約束したアメリカ（ルーズベルト大統領）の無法な取り引きにもとづくものでした。

他方、こうした動きの中で、二〇世紀前半から強まってきた植民地住民による独立（民族自決）運動が、大きな発展を見せてきます。第二次大戦後、インドネシアはオランダとの戦争を通じて独立し、半ば植民地化されていた中国も完全な独立を達成しました。ベトナムはフランスやアメリカとたたかって、アルジェリアはフランスとたたかって、それぞれ独立をかちとっていきます。「アフリカの年」と呼ばれた一九六〇年には、アフリカ大陸で一七カ国が一挙に独立を達成しました。

この中で、植民地を保有する大国にも「植民地を持ち続けることが正しいのか」という葛藤《かっとう》が生まれてきます。一九五四年、ベトナムから撤退する時に、フランスには、戦争継続派のラニエル内閣から、戦争の「名誉ある終結」を主張したマンデス・フランス内閣への政権交代が起こりましたが、これはそうした変化の典型でした。イギリスのように戦争での国力の衰退から、またアメリカとの力関係の逆転から、アジアにおける植民地をあきらめざるをえなくなった国もありました。

大国から独立した旧植民地諸国は、次々と国連に加入し、国連内部の力関係を次第に変えていきます。一九六〇年の国連総会は、アメリカ、イギリス、フランスなど九カ国の棄権にもかかわらず、賛成八九、反対〇の圧倒的多数で「植民地独立付与宣言」を可決しました。こうして、少数の経済・軍事大国が世界全体を分割しあうという、世界的規模での植民地体制は、音を立てて崩れ落ちていきました。

こうした植民地体制の崩壊は、「脱植民地化」という言葉でも表わされますが、それは、植民地が植民地を脱け出して独立するということだけでなく、植民地を保有した国々が

「植民地なき経済大国」に発展していくという二重の意味をもった言葉です。

米ソ「冷戦」の終結と時代遅れの日米同盟

しかし、こうした世界の変化を押しとどめるように、アメリカとソ連は、力による支配への執念を持ち続けました。多くの国と軍事条約を結び、各国に自国の軍隊を配備し、時には経済的な「援助」も与えて、それぞれに「勢力圏」を拡大しようとしたのです。その中で大きな役割を果たしたのは、アメリカにとっての北大西洋条約機構（ＮＡＴＯ）と日米安保条約、ソ連にとってのワルシャワ条約機構（ＷＴＯ）という巨大な軍事ブロックでした。

他方で、独立を達成した国々の側にも、新しい運動が生まれてきます。一九五五年には、インドネシアのバンドンで、旧植民地の二九カ国が、力による国際紛争の解決に反対する「バンドン会議」を開きました。これは、米ソどちらの軍事同盟にも加わらない「非同盟諸国首脳会議」の開催（一九六一年）につながります。第一回を二五カ国（他にオブザーバー三カ国）でスタートしたこの会議は、二〇一二年に行われた第一六回には一二〇カ国の加盟となり、国連加盟国の過半数（六二パーセント）を占めるまでになりました。これらの国々は核兵器廃絶の運動においても、大きな役割を果たしています。

その後、一九九一年にソ連が崩壊し、米ソ「冷戦」体制は崩壊します。同じ年にソ連側の軍事ブロックだったWTOも解体します。残された唯一超大国のアメリカは、ここから経済的にはアメリカ多国籍資本のために「新自由主義」の諸政策を世界に強制し、軍事的には「国連を利用するが、国連の決定には必ずしも従わない」という横暴な姿勢を一層強めていきました。もはや邪魔者はいなくなったと考えたのです。

しかし、アメリカのこの目論見は、大きくはずれます。二〇〇三年にアメリカがイラク戦争を開始すると、イギリスや日本は、ただちにこれに賛意を示しました。しかし、長く同じ軍事ブロックの仲間だったドイツやフランスが、アメリカを「植民地主義」的だと批判して、これに反旗を翻《ひるがえ》したのです。ソ連ブロックの崩壊が、アメリカ側のブロックを再考させるきっかけとなっていたのでした。この出来事は「NATOの亀裂」として世界の注目を浴びることになります。

もちろん、これをもって、ドイツやフランスが完全な平和国家になったということはできません。特にフランスは大量の核兵器を保有し、依然として軍事力への強い依存姿勢をもっています。しかし、無法な戦争を開始しようとするアメリカに、紛争の平和的解決を目指した国連憲章を対置し、その精神を欧州連合（EU）全体に広げた両国を、アメリカと同一の地平にあると見なすことはできません。そこには明確な「脱植民地化」の過程をもたないアメリカとの歴史的な体験の相違もかかわっているのでしょう。

このように歴史を大きく見てみると、第二次大戦直後の軍事占領を、今も事実上、継続している日米安保体制の異常さがよくわかります。日本の主権を踏みにじるアメリカによる力の支配も異常であれば、アメリカの軍事力に頼りながら、海外への経済進出に加えて軍事的な進出を行おうとしている日本側の姿勢も異常です。いずれも世界の平和、各国の平等と連帯の推進への大きな逆流といわざるを得ないものです。

北東アジアに平和の共同体を

第6話の最後に、東アジアにおける平和の共同という課題にふれておきます。東アジアを大きく南北に分けてみると、両者はきわめて対照的になっています。

東南アジアには、社会体制や宗教の相違を越えて、地域のすべての国が加盟する東南アジア諸国連合（ASEAN）がつくられています。ASEANは、東南アジア友好協力条約（TAC）、東南アジア非核地帯条約（SEANWFZ）、ASEAN地域フォーラム（ARF）、南シナ海行動宣言（DOC）、東アジアサミット（EAS）など、加盟一〇カ国の枠を越えて、平和を世界に広げる努力を重ねてきました。

その特徴は、仮想敵をもつ軍事ブロックではない、地域のすべての国による平和の共同体をめざしている、日頃の対話と信頼醸成により紛争を未然に防ぐ「平和的安全保障」の考えに立ち、お互いの政治や社会の体制の違いを尊重した「多様性のもとで共同の発展をはかる」姿勢を共有している、などとまとめられます。

それに対して北東アジアは、まるで正反対に、アジアにおける数少ない火種を抱えた地域となっています。ASEANが主導するTACは、互いへの武力行使の放棄、紛争の平和的解決、内政不干渉、対話と協力の積み上げなどを確認していますが、こうした平和の共同体をいかにして形成するかが、北東アジアにとっても緊急の歴史的な課題となっています。実は、北朝鮮をふくめ北東アジアのすべての国が、すでにTACに加入しており、北東アジア版TACの創設は、決して夢物語ではありません。

北朝鮮をめぐる問題については、「六カ国協議」（アメリカ、ロシアが加わっている）が確認した二〇〇五年の声明にもとづき、朝鮮半島全体の非核化を進め、拉致《らち》問題、過去の歴史の清算などの諸懸案を包括的に解決していく姿勢の再確認が必要です。また、日本と韓国、中国、ロシアとの領土問題については、外交によって解決するという合意をつくり、解決に至る前にも、紛争をエスカレートさせないルールづくりが必要です。このような話し合いを進める上で、日本側が、かつての侵略戦争と植民地支配に対する反省を明らかにし、「慰安婦」問題などの解決に率先して取り組むことは、大きな環境づくりとなるでしょう。

なお、ここでは、もっぱら政治・外交をめぐる力関係の変化を問題にしましたが、かつて大国の植民地・半植民地・従属国だった中国、インド、ブラジルなどの急速な経済成長は、アメリカ、西欧、日本を中心とした戦後世界の経済構造にも、大きな変化をもたらしており、日本はこうした面からも、〝アメリカ言いなり〟一辺倒からの脱却を強く求められています。

第7話　戦争の歴史を知っておかねば

第6話では、もっぱら軍事力がものをいう帝国主義の世界から、各国が共同して平和をめざすことがようやく現実的な課題となったところへの世界構造の大きな変化と、その中で日米同盟がますます時代の流れに逆らう存在になっていることを見ておきました。今回からは「財界言いなり」「アメリカ言いなり」と並び、日本社会が抱える三つ目の深刻な異常というべき、侵略戦争を正当化する力の強さを見ていきます。まずは、戦争の歴史そのものについてです。

・過去と未来はつながっている

「かつて日本が行った戦争は、自国領土の拡大を目指すものであり、正義の戦争といえるものではありませんでした」。授業でこんな話をしても、大学に入学したばかりの学生は、「そうですね」と簡単にうなずいてはくれません。「勉強したことがありません」「日本史はやりませんでした」といった声がかなりの割合で返ってきます。くわえて「あれは正しい戦争だった」「自衛のための戦争だった」という議論が、大手のメディアや出版物、インターネット上でも繰り返されていますから、「侵略」という解説を初めて聞いて、面食らう学生も少なくないようです。

一九四五年の敗戦までに、日本が五〇年間もアジアへの侵略を繰り返したこと（一八九四年日清戦争、一九〇四年日露戦争、一九一〇年韓国併合、一九一五年中国に二一カ条の要求、一九一八年シベリア出兵、一九三一年「満州事変」、一九三七年中国への全面戦争、一九四一年太平洋戦争など）、そして敗戦後に、アメリカによる足かけ八年の軍事占領を体験したこと――この二つを知らなければ、国際社会の中での現代日本の地位を客観的に考えることはできません。

現代日本は、なぜこうまでアジアで孤立しているのか（仲がいい国は一つもありませんよね）、また、どうしてこんなに「アメリカ言いなり」になっているのか（これについてはすでに紹介しました）――このような日本の「今」をもたらした「過去」をしっかり知ることは、日本の「未来」の的確な選択に、欠くことのできないものになっています。

大学で戦争について語るとき、ぼくは、授業の早い段階で、学生たちと一緒に実際の戦場の映像を見るようにしていきます。自由に議論をしていくと、「あの戦争は仕方なかった」「そうはいえないんじゃないか」と、学生たちはそれなりに意見を述べあいます。しかし、各国の兵士だけでなく、子どもや赤ん坊、女性、年寄りをふくむ、たくさんの人間の死体が、ボロ布のように転がっている戦場の悲惨を見てもらうと、学生たちはほぼ例外なく押し黙ります。教室がシンとするのです。

「これは生半可な知識で、判断を下してよい問題ではない」「今の自分にそれほどの知識があるだろうか」。学生たちは、映像が伝える、想像をはるかに超える現実を、そのように受け止めて、そこから真剣に学ぶことへの構えを深めていきます。

「どんな理由があっても戦争をしてはいけません」というのは、多くの戦争体験者が語ることですが、それは体験者が目で見て、身体で体験した「言葉で表すことのできない凄惨な現実」の記憶と一体になった言葉です。しかし、若い聞き手にはその体験がありません。そこで、言葉の重みを理解するには、戦場と戦争の生々しい現実を、わずかではあっても追体験することが必要になります。実写の映像を見ることは、そのための非常に有効な方法となっています。

膨らんでいく領土拡大への野心

二〇一五年は、第二次世界大戦の終結から七〇年目です。すでに対ドイツ戦勝利の行事は各地で行われており、ドイツのメルケル首相は、ナチスからの解放七〇周年にあたって、ナチスの犯罪を二度と繰り返さないというのは、「ナチスの歴史、強制収容所の歴史、少数者や迫害を受けた人の歴史、ホロコースト（ユダヤ人虐殺）の歴史を分析し、働きかけること」「今日のわれわれの理想、価値観に注意を払うということ」だと、国民に向けてメッセージを送りました。

二度とあの戦争の悲劇を繰り返してはならない――そのことを振り返る世界の認識の根本は、ドイツ、イタリア、日本の行いは、どんな大義ももたない不正義の侵略だったというものです。この評価をくつがえそうとするものは、ヨーロッパでは、ネオ・ナチと呼ばれるごく一部の極右勢力に限られています。ところが、日本の社会を振り返るなら、侵略行為を正当化しようとする人が、政府の中枢に集まっているのが現実です。

なぜこうまで大きなずれが生じてしまったのか。その理由の問題に進む前に、まず五〇年間の戦争の歴史のいくつかのポイントを紹介しておきます。

◎一八六八年に成立した明治政府は、一八七二年からの「琉球処分」によって沖縄を最終的に日本の領土とし、一八九九年の「旧土人保護法」などでアイヌの強制的な同化をすすめました。

こうして列島内部を力で抑え込みながら、外に向けては日清戦争（一八九四年）、日露戦争（一九〇四年）を、朝鮮半島の支配を目的に行います。二つの戦争に勝利して、一九一〇年に実施した韓国併合（半島全体を日本の植民地にした）は、その目的の達成を意味するものでした。この後、日本政府は、朝鮮半島を、中国侵略への重要な足場としていきます。

日清戦争後の一八九五年、日本は台湾を植民地としました。朝鮮とあわせて日本の植民地支配は一九四五年の敗戦までつづき（台湾五〇年、朝鮮三五年）、それぞれの地域で人々の誇りを踏みにじる残虐な行為を重ねました。

◎第一次世界大戦に便乗して、中国に権益を求めようとした日本政府は、一九一五年（朝鮮を支配してわずか五年後に）、中国に二一カ条の要求を突きつけます。ドイツが中国に持っていた権益をよこせ、南満州と東部内蒙古《うちもうこ》に日本の権益を認めろ、中国政府の政治・経済・軍事顧問に日本人をつけよなど、これは中国全土への日本の支配権を求めるもので、そこには、中国をわがものにしたいという日本政府の欲求が、わかりやすい形で現われていました。

◎一九一八年からのシベリア出兵は、社会主義をめざすソ連の政府（一九一七年のロシア革命で成立）を、共同で倒そうというイギリス政府の呼びかけをきっかけとしたものです。この時、日本は他のどの国よりも多くの軍隊（七万人以上。他に一万人以上を派遣した国はない）を送り、企てが失敗して各国の軍隊が撤退した後も、最後までシベリアに居座ります（撤兵は一九二二年）。新たな領土の獲得を目的としてのことでした。

以上、日清戦争以後の二五年ほどを見るだけでも、日本の対外膨張欲求のすさまじさがよくわかります。それは、日本がどこかの国に攻め込まれて、余儀なくされた行動などではありませんでした。

日本の「生命線」という名での侵略の正当化

◎一九三一年になると、日本軍は「満州事変」の名で、いよいよ中国東北部に攻め込みます。きっかけは現地の権益を守る名目で駐留していた関東軍が、南満州鉄道を自ら爆破し、これを中国側の仕業だとした謀略事件でした。ここから、いわゆる十五年戦争が始まります。

数カ月の戦闘で満州と内蒙古の一部を占領した日本は、つづく一九三二年、ここに「満州国」を建国しました。実態は日本の植民地でしたが、独立国の体裁をとることで、国際社会の批判をかわそうとしたものです。しかし、このごまかしは通用せず、国際的な批判を浴びた日本は一九三三年に国際連盟（歴史上初の平和のための世界的機構）を脱退し、同じく脱退したドイツ、イタリアと同盟を組んで、第二次世界大戦に突き進みます。

◎一九三七年、日本は中国との全面戦争に入ります。「満州国」建国後、日本軍は北京や天津を含む華北（中国北部）を、領土拡張の次の目的地とします。一九三七年七月、北京西南の盧溝橋《ろこうきょう》での衝突後、現地では停戦協定が結ばれますが、日本政府はこれを無視して大量の軍隊を投入します。こうして始められた戦争でした。短期決戦という日本側の目論見ははずれ、ここから戦争は全面化し、長期化していきます。

◎太平洋戦争が開始されるのは、一九四一年一二月のことですが、その前にドイツ・イタリアと結んだ三国軍事同盟条約（一九四〇年九月）で、日本は戦争の目的を明らかにしました。条約の第一条は、「日本国はドイツ国およびイタリア国の欧州における新秩序建設に関して指導的地位を認めかつこれを尊重す」、第二条は、「ドイツ国およびイタリア国は日本国の大東亜における新秩序建設に関して指導的地位を認めかつこれを尊重す」というものです。

これは、ヨーロッパとアフリカをドイツとイタリアで、東アジアと西太平洋を日本でと、地球上のソ連とアメリカ大陸以外の全土を、三国で分けあおうとする世界再分割の条約でした。日本は大東亜新秩序の範囲を、軍部と政府の連絡会議で確認し、後にこれを「大東亜共栄圏」と呼ぶようになります。その後の経過はいろいろあっても、この一大領土拡張計画をいよいよ実行に移したのが、太平洋戦争なのでした。

◎日本は一九三一年の戦争を「満州事変」、一九三七年からの戦争を「支那事変」と呼びました。「戦争」だと認めてしまうと捕虜の待遇などに関する戦時の国際法を守る義務が生じてくるからです。つまり、日本は最初から国際法を否定する姿勢をとっていたのでした。

それぞれの戦争を正当化する理由として、日本が一貫して主張したのは、その場所が日本を守るために不可欠の「生命線・生存圏」だという身勝手なものでした。「満州事変」の時には、「満蒙《まんもう》」が日本の生命線だとされました。日中戦争に突入する際には、中国が日本の「生命線」だとされました。そして、太平洋戦争の開始にあたっては、西はインド、南はオーストラリアを含む広大な「大東亜」が日本の「生存圏」だとされました。

日本の防衛・存立のためだと言いさえすれば、どこまでも侵略の範囲を広げることができるとするもので、「自存自衛」のスローガンも、「自衛」の名でこのような侵略を正当化するものでしかありませんでした。

◎日中全面戦争以後、一九四五年までの日本の犠牲者は、軍民あわせて三一〇万人とされています。そのうち軍人の死者は二三〇万人で、この六割ほどが餓死でした。同じ時期のアジアの犠牲者は二〇〇〇万人以上といわれています。これほどの命を奪っておきながら、「アジア解放の戦争だった」とするなどは、まるで道理の通ることではありません。

戦場だけでなく植民地や占領地でも、無抵抗な市民の虐殺、強制連行や強制労働、数万とも十数万ともいわれる女性を性奴隷にした「慰安婦」制度など、日本の軍隊が行ったことは、当時の世界でも際立った野蛮さを示すものとなりました。

過去・現在・未来のつながり

日本の敗戦から七〇年がたちましたが、アジアには今も、これらの戦争で心身に深い傷を負った人たちが、たくさん暮らしています。元「慰安婦」、強制労働の被害者をはじめ、多くの人が謝罪や尊厳の回復を日本政府と社会に求めています。その痛みに心を寄せ、この国が行った戦争への責任を自覚する姿勢をもたなければ、日本は、いつまでたってもアジアの仲間になることはできません。

アメリカによる非戦闘員の無差別殺戮《さつりく》である原爆投下や空襲、ソ連による日本軍捕虜の奴隷労働者化である「シベリア抑留」など、連合国の戦争犯罪を問うことも、日本の侵略と植民地支配、様々な加害への反省と切り離して深められるものではないでしょう。

ぼくは今年（二〇一五年）で五八歳ですが、亡くなった父は一七歳で敗戦の日を迎えました。その父から、ぼくは、敗戦前に軍需工場で魚雷の整備をしていたこと、その工場に米軍機による機銃掃射があり、そのたびに裏山に逃げたこと、近くに弾が落ちたことなどを、幼い頃に聞きました。そうであれば、当然、ぼくと同年代のアジアの人々には、父親、母親から、日本の侵略による戦争の悲惨と苦労を直接聞いている人がたくさんいるわけです。戦争の「過去」は、そのようにして日本とアジア、日本と世界の「現在」につながっています。その「現在」を、私たちがどう方向づけていけるかは、日本と世界の「未来」を大きく左右するものにもなるでしょう。

第8話　戦争「違法化」への努力と日本の役割

三一〇万の日本人が殺される間に、二〇〇〇万以上のアジア人を殺した戦争を、どうして「アジア解放の戦争」と肯定することができるのか。第7話では、これを考える入口として、明治から昭和にかけての戦争の歴史を振り返っておきました。今回は、二〇世紀における、戦争の「違法化」に向けた世界の努力と、そこで日本が果たした役割を見ておきます。それによって日本の行為の歴史逆行ぶりが、一層浮き彫りになると考えてのことです。

パリ不戦条約――戦争のない世界を求めて

学生たちと日本の戦争の話をしていると、「どこの国も戦争をしていたのだから」「戦争が避けられない時代だった」「戦争をしたすべての国に罪がある」といった意見に出くわすことがあります。二度の世界大戦には、世界中の多くの国がかかわりました。それらの国が、いずれもすすんで戦争に参加していたのなら、確かに、どこかある国の罪が特別に重いとはいえなくなるかも知れません。

しかし、実際の歴史はどうだったでしょう。ここは事実に即して判断すべきところです。実は二〇世紀の前半は、「あらゆる戦争は合法だ」という考えから、「戦争は違法だ」という考えに、世界の判断が大きく変わる時期でした。そして、そうした考え方の転換に対応して、国際社会に新しい組織や条約がつくられ始める時期でもありました。その象徴というべきものが、一九二八年に結ばれた「戦争放棄に関する条約」(パリ不戦条約)でした。

不戦条約の第一条は「締約国は、国際紛争解決の為戦争に訴ふることを非とし……国家の政策の手段としての戦争を放棄する」、第二条は「一切の紛争又は紛議は……平和的手段に依るの外……解決を求めざること」となっています。要するに、国家間のもめごとを戦争で解決してはいけない、もめごとはすべて話し合いで解決しようという条約です。

最初に調印したのは、アメリカ、イギリス、ドイツ、フランス、イタリア、日本など、軍事大国を中心とした一五カ国ですが、その後、ソ連なども含めて六三カ国に広がります。これは当時の世界の国の九割以上という、圧倒的な数でした。これをきっかけに、スペインの憲法(一九三一年)やフィリピンの憲法(一九三五年)に、「国家の政策の手段としての戦争を放棄（する）」という文章が加えられます。戦争放棄の憲法は、日本国憲法が最初ではなく、その点で日本国憲法は世界の例外などでもありません。

国際連盟――二〇〇〇万人の犠牲を繰り返さない

この条約が結ばれるきっかけとなったのは、第一次世界大戦（すでに見たように、これは、互いが互いの植民地を奪いあう双方の側からの帝国主義戦争でした）で二〇〇〇万人もの犠牲者が生まれたこと、そして、このような戦争を避けようと「国際連盟」が創設（一九二〇年）されたことでした。戦争中の一九一八年に、アメリカのウィルソン大統領が「一四カ条の平和原則」を提唱し、その中で平和を維持するための国際機構の設置を呼びかけたのです。

国際連盟の規約は「加盟国は、戦争に訴えざるの義務を受諾し」という前文から始まりますが、それは、資本主義におけるそれまでの「無差別戦争観」（どのような理由によるものであれ、交戦規則など国際法を守る戦争はすべて合法だとする考え方）を大きく転換し、世界の多くの国が互いに武力行使を慎むことを約束する、集団的安全保障体制をめざした歴史上最初の試みとなりました。しかし、これに国内の事情からアメリカが加盟しなかったため、フランスが二国間での不戦宣言をアメリカに呼びかけ、それをきっかけとして、多国間による先のパリ不戦条約が誕生したのでした。

第一次世界大戦とその後の十数年間は、世界の多くの国が初めて「戦争の放棄」を真剣に話し合い、「戦争のない世界をめざす努力」を初めて歴史の前面に押し出した時期となりました。ただし不戦条約には、弱みもありました。その中心は、アメリカやイギリスが、「自衛」のための戦争は放棄しないとし、さらに、何が自衛かについては、その国だけが判断できると主張して、これを条約が受け入れてしまったことでした。そのため、この後「自衛」の名での侵略に道が残されることになりました。

二度目の世界戦争を引き起こす側に立った日本

こうした新しい変化の中で、日本が果たした役割はどのようなものだったでしょう。日本は国際連盟が創立された時からの加盟国で、イギリス、フランス、イタリア王国とともに、中心的な役割をはたすべき常任理事国になっていました（後にドイツとソ連も常任理事国になります）。しかし、一九三三年、日本は国際連盟からの事実上最初の脱退国となっていきます。それ以前に、一九二五年にコスタリカが脱退していましたが、理由は加盟国としての分担金が支払えないというもので、趣旨に反対してのことではありませんでした。

日本の脱退のきっかけは、一九三一年の「満州事変」と一九三二年の「満州国」の建国でした。日本が「満州事変」を「戦争」ではなく「事変」と呼んだのは、国際連盟の規約や不戦条約でいわれる「戦争」ではないと主張するためでした（戦争だと認めれば規約にも条約にも違反することになりますから）。

また、不戦条約の締結の際に、アメリカやイギリスが「特別の死活的な利害関係を有する」地域を守ることは「自衛の措置」だとしたことを取り上げて、日本は、「満蒙《まんもう》」は日本の「生命線」、その権益を守ることは「自衛権の行使」に当たると主張します。

しかし、一九三三年の国連総会で、この「生命線」・「自衛権」論は退けられ、そのことに不満をもった日本代表は、その場からただちに退場し、後日、正式に国際連盟を脱退したのでした。

そして、同じ一九三三年に国連を脱退したドイツ、一九三七年に脱退したイタリアとともに、日独伊三国同盟を形成し（一九三七年に日独伊防共協定、一九四〇年に日独伊三国軍事条約）、第7話で見たように第二次世界大戦を引き起こしていくのです。世界が初めて戦争の「違法化」を真剣に議論し始めたその時期に、日本は、そうした努力の到達点に真っ先に背を向けて、再び世界を大戦争に巻き込んでいく最悪の役割を果たしたのでした。

国際連合の下で――再び問われる日本の役割

一九四五年八月、第二次世界大戦は、第一次世界大戦の数倍の犠牲者を出して終了しました。その直後の一〇月に、今度は「国際連合」が創設されます。「われらの一生のうちに二度まで言語に絶する悲哀を人類に与えた戦争の惨害から将来の世代を救い」と始まる国連憲章は、国際連盟の失敗の教訓を生かし、よりしっかりとした集団的安全保障体制をめざそうとするものでした。それから七〇年、人類は三度目の世界大戦を避けることに成功してきました。

日本国憲法第九条が、「日本国民は……国権の発動たる戦争と、武力による威嚇《いかく》又は武力の行使は、国際紛争を解決する手段としては、永久にこれを放棄する」「国の交戦権は、これを認めない」としているのは、第一次世界大戦中からのこうした世界の努力の到達点を反映してのことでした。

しかし、ここにも弱点は残されました。国連憲章を決定した一九四五年四月の会合（連合国五〇カ国が参加）で、アメリカは、国連加盟国への「武力攻撃」が発生したとき、国連安全保障理事会が必要な措置をとるまでの間は、「個別的又は集団的自衛」の行為を行うことができるとする条項（第五一条）を押し込んだのです。「集団的自衛権」というのは、この時にアメリカが初めてつくりだした用語でした。

その後の米ソ「冷戦」体制の下で、重要な国際紛争をめぐって、安全保障理事会の合意ができることはほとんどありませんでした。国連の常任理事国（アメリカ、ソ連、中国、イギリス、フランス）には、一国が反対するとその案件が成立しなくなる拒否権が与えられたためです。そうした事情を突いて、アメリカとソ連はそれぞれ集団的自衛権を行使するための軍事ブロックとして、北大西洋条約機構（NATO）やワルシャワ条約機構（WTO）などをつくり、これが国連に制約されない他国への軍事介入の手段として繰り返し活用されていきました。

一九九一年のソ連崩壊とWTOの解散後、世界の軍事的な対立関係に大きな変化が生まれます。アメリカが「国連の決定に必ずしも従わない」という横暴な姿勢を示したこともあって、二〇〇三年のイラク戦争開戦時には、戦後はじめて国際紛争を国連憲章の精神にそって解決することを、世界の大勢がアメリカに向かって求めるという新しい局面が生まれました。戦争の開始を食い止めることはできませんでしたが、第一次世界大戦からおよそ一〇〇年の時を経て、世界の歴史はようやくここに辿《たど》り着いたのです。

その中で日本の政府は、今、戦争のない世界をめざす国連のいわば「抜け穴」とされた集団的自衛権の行使容認を閣議決定し、つづいて「日本国民は……国権の発動たる戦争と、武力による威嚇又は武力の行使は、国際紛争を解決する手段としては、永久にこれを放棄する」「国の交戦権は、これを認めない」とする憲法第九条の「改正」に向かおうとしています。

かつて「自衛」を口実に、世界に取り返しのつかない災いを引き起こした日本は、今、再び大きな岐路に立っています。ここで決して道を誤るわけにはいきません。

第9話　侵略を正当化する力の強さ

第8話では、二〇世紀における戦争の「違法化」に向けた世界の努力と、その中で日本が果たした役割について考えました。ここでは、かつての侵略と植民地支配を「正義のたたかい」だったとする声が、なぜ現代の日本にはこうまで強いのか、そこの問題を見ていきます。

安倍「談話」への各国の懸念

二〇一五年、年頭の記者会見で安倍晋三首相は、八月一五日に戦後七〇年の「談話」を発表すると述べました。本来なら、そのこと自体は格別驚くべきことではないでしょう。しかし、各国は一斉に、懸念の声をあげました。何せ安倍さんは国会で、二〇一三年三月には東京裁判を「勝者の判断」による「断罪」だと、四月には村山談話を「そのまま継承しているわけではない」「侵略の定義は定まっていない」のだと、それぞれ国会で答弁し、さらに一二月には首相として靖国神社に参拝していますから。

かつての日中戦争で一〇〇〇万人以上の犠牲者を出した中国政府は、「日本の指導者が過去の侵略の歴史でどのような対外的な信号を発し、どのような態度を取るのか注視している」と、ただちにこれを牽制《けんせい》し、村山談話などを念頭に「これまでの態度と約束」を順守するよう求めました。

村山談話というのは、一九九五年に当時の村山富市首相が、「終戦五〇周年の終戦記念日にあたって」と題して発表したもので、次のような、アジア諸国への侵略と植民地支配についての反省とお詫びを含むものでした。

「わが国は、遠くない過去の一時期、国策を誤り、戦争への道を歩んで国民を存亡の危機に陥れ、植民地支配と侵略によって、多くの国々、とりわけアジア諸国の人々に対して多大の損害と苦痛を与えました。私は、未来に誤ち無からしめんとするが故に、疑うべくもないこの歴史の事実を謙虚に受け止め、ここにあらためて痛切な反省の意を表し、心からのお詫びの気持ちを表明いたします。また、この歴史がもたらした内外すべての犠牲者に深い哀悼の念を捧げます」。

かつて三五年におよぶ植民地支配を被った韓国政府も、七〇年談話をめぐる報道に「どんな宣言を出すのか注意深く見守り、協力関係を回復させようと多くの努力をしている」と語りました。

アジアの国々だけでなく、アメリカ政府も、「村山元首相と河野元官房長官の（談話で）示した謝罪が、日本が近隣諸国との関係を改善するための努力の中で重要な一章を刻んだ」とあらためて強調しています。

河野談話というのは、一九九三年に、「慰安婦関係調査結果発表に関する河野内閣官房長官談話」の名前で、当時の宮沢首相はじめ政府中枢部での集団的な検討の上に発表された見解です。そこには次のような文章が含まれました。

「慰安所は、当時の軍当局の要請により設営されたものであり、慰安所の設置、管理及び慰安婦の移送については、旧日本軍が直接あるいは間接にこれに関与した。慰安婦の募集については、軍の要請を受けた業者が主としてこれに当たったが、その場合も、甘言、強圧による等、本人たちの意思に反して集められた事例が数多くあり、更に、官憲等が直接これに加担したこともあったことが明らかになった。また、慰安所における生活は、強制的な状況の下での痛ましいものであった」。

「いずれにしても、本件は、当時の軍の関与の下に、多数の女性の名誉と尊厳を深く傷つけた問題である。政府は、この機会に、改めて、その出身地のいかんを問わず、いわゆる従軍慰安婦として数多の苦痛を経験され、心身にわたり癒《いや》しがたい傷を負われたすべての方々に対し心からお詫びと反省の気持ちを申し上げる。また、そのような気持ちを我が国としてどのように表すかということについては、有識者のご意見なども徴しつつ、今後とも真剣に検討すべきものと考える」。

村山談話、河野談話は、いずれも個人が勝手に発表したものではありません。政府の公式見解として、今も外務省のホームページに公開されているものです。七〇年談話に対する多くの懸念の声は、安倍首相が、これらを修正するのではないかという不安と危惧にもとづくものでした。

靖国神社に参拝すること

ところで二〇一三年一二月に、安倍首相が靖国参拝を行ったとき、アジアやヨーロッパの国々だけでなく、アメリカ政府もこれまでにない強い口調で「失望した」と述べたことが注目されました。外交ではアメリカへの従属的な同盟を最重視する安倍首相にとって、これは小さな出来事ではなかったはずです。しかし、その後も、首相は二〇一四年八月、二〇一五年四月と繰り返して、「内閣総理大臣　安倍晋三」の肩書で、お供え物である真《ま》榊《さかき》を奉納しています。それだけ強い思い入れが、靖国神社に対してあるということです。では、靖国神社とは一体どういう神社であり、これに参拝することにはどのような意味があるでしょう。

靖国神社は、一八六九（明治二）年に、東京招魂社という名でつくられたものが始まりです。ぼくの勤め先の神戸女学院大学には、敷地内に岡田神社という、『延喜式《えんぎしき》』（九二七年）にも登場する、長い歴史をもった神社がありますが、靖国神社は対照的に、明治期に入ってつくられた年の若い神社となっています。

その目的は、旧幕府軍とのたたかいで戦死した兵士を祀《まつ》り、それによって新しく生まれたばかりの天皇の政府（明治政府）に対する国民の忠誠を強めることでした。これが一八七九年に、明治天皇の命令によって名前が変わり、靖国神社となりました。この時から、管理は旧陸軍と海軍が行うようになっていきます。

靖国神社のホームページには、「靖国神社の由緒」という次の文章がアップされています。

「靖国神社は、明治二年（一八六九）六月二九日、明治天皇の思し召しによって建てられた東京招魂社が始まりで、明治一二年（一八七九）に『靖国神社』と改称されて今日に至っています。

靖国神社は、明治七年（一八七四）一月二七日、明治天皇が初めて招魂社に参拝された折にお詠《よ》みになられた『我國の為をつくせる人々の名もむさし野にとむる玉かき』の御製からも知ることができるように、国家のために尊い命を捧げられた人々の御霊《みたま》を慰め、その事績を永く後世に伝えることを目的に創建された神社です。『靖国』という社号も明治天皇の命名によるもので、『祖国を平安にする』『平和な国家を建設する』という願いが込められています。

靖国神社には現在、幕末の嘉永六年（一八五三）以降、明治維新、戊辰《ぼしん》の役（戦争）、西南の役（戦争）、日清戦争、日露戦争、満洲事変、支那事変、大東亜戦争などの国難に際して、ひたすら『国安かれ』の一念のもと、国を守るために尊い生命を捧げられた二四六万六千余柱の方々の神霊が、身分や勲功、男女の別なく、すべて祖国に殉じられた尊い神霊（靖国の大神）として斉《ひと》しくお祀りされています」。

少なくとも日清戦争以後の歴史については、すでに紹介したとおりです。それは海の外から降りかかってきた「国難」などではなく、また「国を守る」ことを口実としながらも、最終的には「大東亜共栄圏」の建設に向かう、自国領土の拡張を目的とした侵略の戦争なのでした。

その戦争で命を失った兵士らが、ここには神として祀られているのです。死ねば「靖国の神」になることができる。だから安心して天皇の命令に従って（一八九〇年に施行された大日本帝国憲法では、軍隊と戦争に関することはすべて天皇の専決事項とされていました）、戦場で死になさい。それは遺族にとってもとても名誉なことなのだから。こうして靖国神社は、戦時中、人々を戦争に動員していく宗教装置としての役割を果たしたのでした。

こういう性格の神社なので、実は広島・長崎の原爆や東京・大阪など全国の空襲で亡くなった民間人、沖縄戦で亡くなった民間人などは祀られていません。天皇の命令にしたがって死んだものではないとされているからです。靖国神社は、戦争で亡くなったすべての犠牲者を祀る神社ではなく、天皇のためにすすんで命を捧げたとされる者だけを祀った神社です。

その上、靖国神社は、祀られた英霊を「顕彰」するのだといっています。顕彰というのは、褒めたたえるということです。「安らかにお眠りください」と冥福を祈るのではなく、「あなたたちは立派でした」と褒めたたえるための神社だというのです。一九七八年には、A級戦犯一四人が英霊に追加（合祀《ごうし》）され、これによって靖国は東京裁判によって罪が確定した、侵略戦争の指導者をさえ褒めたたえる神社となりました。

さらに靖国神社の敷地には遊就館《ゆうしゅうかん》という戦争展示館がありますが、ここは日本の歴史を初代・神武天皇（紀元前六六〇年に即位、一二七歳まで生きたとされる）に始まる天皇史観で説明し（ですから神武以前の縄文時代は存在しないものとされています）、明治以後のすべての戦争を「正しい」とする異様な歴史解釈（靖国史観）を、多くの人に宣伝する特異な施設として機能しています。

サンフランシスコ講和条約第一一条には、「日本国は、極東国際軍事裁判所並びに日本国内及び国外の他の連合国戦争犯罪法廷の裁判を受諾し、且《か》つ、日本国で拘禁されている日本国民にこれらの法廷が課した刑を執行するものとする」という文章が含まれています。戦後日本はこの条約に調印したことで、初めて国際社会に復帰したのでした。東京裁判は第二次世界大戦における日本の行為を正当化が許されない侵略と認定した上で、「平和に対する罪」により二五名に有罪判決を下したのでした（二八名の審理でしたが、途中二名が病死、一名が病気のため免訴となりました）。

こういう事情がありますから、日本政府の代表者である首相が、日本に数ある神社の中から、わざわざここを選んで参拝すれば、「日本はかつての戦争を反省していないのか」という批判が世界各地から強く起こってくるわけです。

ちなみに二〇一四年八月一五日に「みんなで靖国神社に参拝する国会議員の会」（自民党、民主党、日本維新の会、次世代の党、みんなの党、生活の党などの所属議員による）は、代理をふくめて一九四人での集団参拝を行いました。そうした歴史認識にとりつかれた議員たちが、自民党に限らず国会にたくさん選出されているのが現状です。

また、二〇一五年四月二二日に、安倍首相は中国の習近平国家主席との間で「あるていどの関係の改善」を確認し、習主席は安倍首相に「歴史を直視し積極的なメッセージを」と求めました。しかし、その翌日には、高市早苗総務相ら三人の閣僚が靖国参拝を行っています。こうした行動はアジアからの不信をますます強めるものとなっています。

侵略と加害の反省をさけてきた戦後

こうした日本社会の現状の背後には、戦争を体験した国民の多くが、家族を失い、空襲に怯《おび》えるなどの自己の「被害」体験から「二度と戦争はしたくない」とする一方で、日本が領土拡大のための侵略を行い、アジア人二〇〇〇万人以上を殺害したことを「直視したくない」として視野から遠ざけ、それへの反省を明確にしてこなかった戦後の歴史があります。それが今も広く受け継がれていることは、「敗戦記念日」に前後して放映される主な戦争ドラマに、アジアにおける日本軍の暴虐がほとんど何も描かれないことにも表われています。

何より日本には、戦争犯罪人を自らの手で裁いたという歴史がありません。これはユダヤ人絶滅を閣議決定し、六〇〇万人を殺戮《さつりく》したナチス政権の罪を、今も裁き続ける戦後ドイツとの大きな違いとなっています。侵略や植民地支配、「慰安婦」問題を含む非人道的な行いを、それを遂行した各人の罪として具体的に認定した歴史がないのです。それどころか、連合国が行った東京裁判を、安倍首相が「勝者」による「断罪」と批判していることは先に述べたとおりです。

それだけではありません。二つ目に、アメリカによる軍事占領が終わった一九五二年に、戦争犯罪人の刑罰の軽減（恩赦）を求める運動が呼びかけられ、これに同意する日本国民の署名はただちに三〇〇〇万に達しました。戦争犯罪人を追及するどころか、逆にこれを「赦《ゆる》す」ことを求める国民的な大運動を、戦後日本の社会は行ったのです。それは、侵略と加害の罪からの集団的な逃避の行為といっていいでしょう。

三つ目に、侵略の最高責任者であり、戦争犯罪人の頂点に位置づけられるべき昭和天皇を、アメリカ占領軍が、占領政策の円滑な遂行のために裁きの対象から外した時、国民の多くがこれを受け入れてしまった事実があります。結局、戦後日本の社会は、昭和天皇が亡くなるまで、彼に一円の賠償金も払わせず、彼をただの一日も刑務所に入らせることはありませんでした。

四つ目に、同じく、占領軍が「ポツダム宣言」の実施を放棄し、A級戦犯容疑者を無罪放免で釈放した時にも、多くの国民はこれを問題にすることができませんでした。

一九五五年に初代幹事長として自民党をつくり、五七年に首相（敗戦からわずか一二年後に）となった岸信介《のぶすけ》は、「満州国」を統治した日本側官僚のトップの一人で、太平洋戦争開戦時の東条内閣の一員であり、国内の労働力不足を理由に中国人の強制連行と強制労働を指示した商工大臣でした。また、賀屋興宣《かやおきのり》は、東京裁判で終身刑の判決を受けながら、一九五五年に仮釈放、減刑となり、その後、岸信介首相の経済顧問や外交調査会長をへて、池田勇人内閣の法務大臣になりました。

政治家だけではありません。侵略戦争に協力し、これを推進する立場にあった多くの財界人、大新聞社の経営者（「朝日」「毎日」「読売」とも経営者は戦後一時辞職しただけで、ただちに復帰しています。「読売」社主で後に政府の原子力委員会の初代委員長となる正力松太郎も、A級戦犯容疑者でした）らが、戦後も社会の中心にあり続けました。

こうして、世界の各国がジグザグはあっても「戦争の違法化」を進め、戦争のない世界に向かう努力を重ねる中で、かつての侵略戦争を肯定しようとする強い衝動を戦後七〇年間も保持しつづけ、今なお政治に大きな影響を与えている事実は、現代日本社会が抱える深刻な病理の一つの現れとなっています。

第10話　安倍政権の下での日本社会

第9話では、侵略戦争を正当化する力が日本社会の中に強く残っている理由について考えました。さて、ここまでを大きく振り返ってみると、第1話で「社会科学とは何か」を取り上げた後、第2話から第9話までは、次の三つのテーマにそった話となっています。一つは「資本主義とは何か、財界主導の政治のしくみ」、二つは「アメリカ言いなりの軍事・外交、その延長線上にある〝戦争をする国づくり〟」、三つは「戦争『違法化』への世界の努力と、これに反して侵略戦争を正当化する力」の問題です。

この第10話では、これらの要素をもつ日本社会を、安倍内閣や自民党が目指す近未来の日本像とのかかわりで、あらためて全体的にとらえ返してみたいと思います。

三つの問題の解決が求められている日本社会

第1話の話題にもどっておけば、「社会科学」とは、目の前に現われた社会の動きの背後にある「社会の本当の姿」を探る作業とその今日的な成果のことでした。第2話から第9話までに取り上げた大きな三つのテーマの内容は、それぞれが独立した歴史の検討成果であるとともに、今、目の前にある安倍政権の暴走の方向を定め、暴走のエネルギーを生み出す力を究明するものともなっています。今なぜ、その方向に、それほどのエネルギーで暴走するのか。その問いに対する回答の諸要素をなすものともなっているのです。

貧困と格差がこれほどに大きな社会問題となっているのに、政府は、大企業の法人税を下げながら、社会保障を削り込み、さらに消費税増税を強行しています。世論の多くが電力の原発依存に不安を訴えているにもかかわらず、政府は、原発をベースロード電源と位置づけ、再稼働に進む姿勢を崩していません。ブラック企業・ブラックバイトが大問題となる中で、政府は、これに逆行する「残業代ゼロ」「正社員ゼロ」に向けた労働市場づくりに強く執念を燃やしています。

このような政治と国民世論との深刻なねじれは一体どこからくるのでしょう。その根底にあるのが、対立する労資関係を軸とし、個別資本による利潤の追求を経済活動の原動力とする「資本主義社会のしくみ」と、大資本の経営者団体（財界）による政治の支配という第一の問題なのでした。

そして、「アメリカの戦争には世界のどこまでもついていきます」という集団的自衛権の行使容認や、これを合憲化するための憲法「改正」、さらには何度選挙に負けても、アメリカの海兵隊（日本を守るための部隊ではなく、海外殴り込みのための部隊）に提供する巨大基地を、暴力を使ってでも辺野古に建設しようとする現代政治の動きは、「敗戦直後のアメリカによる軍事占領」に原型をもち、「その合法化としての日米安保体制」の下で肉付けされてきた「アメリカいいなり」の外交・軍事戦略によるものでした。これが第二の問題なのでした。

この「アメリカいいなり」の関係は、アメリカの求めに日本側が一方的に屈するだけでなく、アメリカの求めに応じながら、その中で経済的にも、軍事的にも、日本の大資本や政治家たちの利益と願望を最大限に追求するという卑屈な自発性を含んだものとなっています。従属を追い求めることによって「強い国」を実現しようという一面があるわけです。

三つ目が、侵略戦争を肯定する力の強さという問題です。これについては、第9話までに詳しく述べたところです。ここでは少し角度を変えて、そのような歴史認識の持ち主が、安倍内閣の中にどれくらいの比率で含まれているかを確認してみます。指標となるのは、侵略戦争を肯定する主義・主張を含んだ議員連盟への大臣たちの所属でしょう。いくつもあるその種の議員連盟から、老舗《しにせ》というべき代表的なものを選び出せば、「日本会議国会議員懇談会」「神道政治連盟国会議員懇談会」「みんなで靖国神社に参拝する国会議員の会」になるかと思います。

二〇一二年一二月の第二次安倍内閣発足時の閣僚構成と、二〇一四年九月の内閣改造直後の構成を確認すると、それぞれの議連への大臣たちの所属比率は、「日本会議」六八・四パーセント→八四・二パーセント、「神道」八四・二パーセント→九四・七パーセント、「靖国」七八・九パーセント→八四・二パーセントとなっています（子どもと教科書全国ネット21事務局長・俵義文氏の調べ）。

驚くほどの高率で、しかもその比率は顕著に上昇しています。安倍内閣のゆがんだ歴史認識は、安倍氏個人に限られたものではなく、この内閣全体に共通するものであることがよくわかります。それだけに、各人の言動はより大胆なものへとエスカレートし、その結果、懸念の声は、東アジア各国にとどまらず、アメリカやヨーロッパからも届くようになっています。

日本社会の表面には、いつもいろいろな動きが起こっていますが、ぼくは、これら三つの根本問題が、それらの意味を理解するための一番の鍵になると思っています。コンパクトにいってしまうと「財界主導／対米従属／侵略肯定」ということで、これらは問題の性質も、解決のための道筋もかなり異なるものですが、現状を転換して「よりましな日本社会」に向かっていこうとすれば、どれも乗り越えていかねばならない中心的な問題になっていると思います。

「侵略肯定」と「財界主導」「対米従属」との摩擦も

次に、この三つの問題相互の絡み合いを見ておきます。これらは、一方では、深いもたれあいの関係をもっています。たとえば「財界主導」ということには、武器の輸出を全面的に解禁し、軍需産業を儲けのための新しい領域として、ますます拡大したいという願いが含まれています。

他方で、大日本帝国の昔を懐かしむ「侵略肯定」の思想には、海外に向けて強い力を誇示する「軍事強国・日本」を望む姿勢が含まれます。この思想は最近では、「かつての敵国」中国への軍事的対抗一辺倒の姿勢を強める役割をはたすものにもなっています。

これらは、世界での相対的な地位の低下を、日本の軍事力を活用することでカバーしたいというアメリカからの要請とも結びついて、それぞれに「戦争のできる国づくり」を急ぐ安倍内閣の暴走の推進力となっています。

しかし、そこにはズレや対立の一面が含まれていることにも注目が必要です。現瞬間の主な摩擦の焦点は、「侵略肯定」思想の強まりと、「財界主導」および「対米従属」という政治路線間に現われています。

二〇一三年一二月、安倍首相の靖国参拝が行われた時、ヤフー・ヘッドライン・ニュースは「日本の経済界衝撃、米国も批判―中韓との関係改善遠のく」という見出しでニュースを流し、財界関係者の困惑の声を次のように紹介しました。

「特に経済界は、経済再生を最優先に掲げて、持論の憲法改正や歴史認識の見直しなどは当面封印することを要望、『安倍首相も理解してくれている』（日本経団連幹部）と楽観視していただけに、『首相参拝により中韓との関係改善が先送りになれば日本経済の先行きに少なからぬマイナスになる』（大手メーカー幹部）と顔を曇らせる」。

現在、日本にとって最大の貿易相手国は中国であり、その重要性は今後もますます高まります。そこで、当然のことながら、その関係を深めていくことは、日本財界にとっても重要な課題とされています。

たとえば日本経団連の意見書「通商戦略の再構築に関する提言」（二〇一三年四月）は、

東アジア包括的経済連携（ＲＣＥＰ）をつくる上で「対中国市場アクセスの改善はわが国にとって重要である」と、中国との経済交流を深めることの必要性を強調しています。また日本経団連国際経済本部が二〇一五年一月二九日に発表した「経済外交のあり方に関するアンケート」結果概要でも、「経済外交推進および官民連携の観点から、安倍政権が取り組むべき課題」への回答は、ＴＰＰ（環太平洋連携協定）の推進やインフラ海外展開の整備などを抑えて、「近隣諸国との外交関係の安定化」が第一位となりました。

他方で、「従属」の相手であるアメリカとの間にも、関連する摩擦が生まれています。中国を牽制《けんせい》する力の確保のために、米日韓の連携を追求しているアメリカは、安倍首相の靖国参拝や「慰安婦」問題をめぐる日本政府の態度が、その障害を生み出していることにいらだちを隠せずにいます。

二〇一四年四月、東アジアを歴訪したオバマ大統領は、安倍首相との対談直後に韓国へ渡り、わざわざ「慰安婦」問題を取り上げて、「甚だしい人権侵害だ。戦争中の出来事とはいえ、衝撃を受けた」「（被害者らの）主張は聞くに値し、尊重されるべきだ」と語りました。三国の連携が思うように進まないのは、日本政府のゆがんだ「歴史認識」のためだという理解です。

中国との関係についても、アメリカは、日中対立のエスカレートを望んでおらず、ましてや、日本とともに中国との軍事的な緊張関係に入るなどのことはまったく考えていません。アメリカにとっても最大の貿易相手は中国であり、今後ますます経済的、政治的地位を高める中国を、どのようにしてアメリカが許容できる範囲にコントロールしていくか、そこにこそアメリカの対中外交の根本的な関心があるからです。

安倍首相は、二〇一五年四月にアメリカの上下両院合同会議での演説で、第二次世界大戦への「痛切な反省」を語りましたが、それは安倍氏の内心の変化を示すものではなく、アメリカをふくむ国際社会への「配慮」が口にさせた表面的な取り繕いの言葉といっていいでしょう。

「日本らしい日本の保守主義」をめざす自民党

こういう摩擦がある中でも、今の自民党はこれをなんとか封じ込め、国内外で二枚舌を使いわけ、また大手メディアを抱き込むことで、「侵略肯定」の色合いを薄めることなく突っ走ろうとしています。

実は二〇〇六年からの第一期の安倍政権でも、同じような摩擦がありました。直前の小泉純一郎首相が毎年、靖国神社を参拝し、それによって日中関係は首脳会談もできないほどに冷え込みました。この時、日本経団連の奥田碩会長は、小泉首相に靖国参拝の自粛を求め、同じことを求めたアメリカのブッシュ大統領は、小泉首相の意思の固いことを確認した後、「ポスト小泉は靖国へ行くな」と後継首相に圧力を加えました。その結果、安倍首相は任期中に靖国参拝を果たすことができませんでした。

また、中国を「潜在的敵国」から「建設的パートナー」と位置づけなおすブッシュ政権の政策転換もあり、アメリカ議会は「慰安婦」問題の解決を日本に求める決議を繰り返しました。「日本政府は……世界に『慰安婦』として知られる、若い女性たちに性的奴隷制を強いた日本皇軍の強制行為について、明確かつ曖昧《あいまい》さのない形で、歴史的責任を公式に認め、謝罪し、受け入れるべき」（二〇〇七年七月下院）。

そうした中で、二〇〇七年夏の参議院選挙に、新憲法制定を第一の公約に掲げて臨んだ安倍自民党は、歴史的な大敗を喫します。こうした内外の逆風の中で、安倍首相は一年足らずでの政権放棄に追い込まれたのでした。この時に「憲法が危うい」と、国内で大きな役割を果たしたのは「九条の会」（二〇〇四年発足）をはじめ、多くの護憲団体を中心とした国民の取り組みでした。

振り返って比べてみると、今はあの時よりも、政府に働きかける財界の力が弱くなっているようです。アベノミクスの推進では一体的な取り組みがいくらでもありますが、「侵略肯定」の動きを抑制する点では、ずいぶん及び腰になっているようです。

また、安倍首相なりに前回の失敗からの教訓を活かしているところもあるようです。国内では「『日本が国ぐるみで性奴隷にした』とのいわれなき中傷がいま、世界で行われている」（二〇一四年一〇月）などといきり立ちながら、海外に向けては「二一世紀は女性の時代」と繰り返すなど、内外での二枚舌の使い分けに注意していますし、ＮＨＫの経営委員会だけでなく、大手のテレビ・新聞の経営陣や時には政治などの解説委員とも一緒に食事をして、メディアを敵にまわさぬ努力を重ねています。

その中で、今の自民党政府は、アメリカや財界との摩擦をなんとか調整しつつ、「侵略肯定」強化の思想を、後退させることなく突っ走ろうとしています。その方向は党の「政治理念」を「日本らしい日本の保守主義」とまとめた二〇一〇年の自民党新綱領や、二〇一二年発表の「日本国憲法改正草案」（改憲案）に現われています。要約すると、そこで自民党がめざす日本社会の近未来像は、次のような六つの特徴をもつものとなっています。

（1）日本を対外的に代表する「元首」を首相でなく天皇と定め、さらに天皇の憲法尊重擁護義務を外して、この国を天皇中心の国家とする。

たとえば改憲案の前文は、「日本国は、長い歴史と固有の文化をもち、国民統合の象徴である天皇を戴《いただ》く国家」「日本国民は、良き伝統と我々の国家を末永く子孫に継承するため、ここにこの憲法を制定する」となっています。「戴く」というのは頭の上に置くということで、これはつまり天皇を、国民とは別格の上位の存在にするということです。そして、これこそが「この憲法を制定する」目的なのだと明記しています。

そして、第一条で「天皇は日本国の元首」だとし、第一〇二条で憲法尊重擁護義務から天皇と摂政をはずすとしています。つまり天皇は憲法による国づくりの方向づけから自由にふるまうことのできる「元首」になるということです。

ただし、ただちに補足しておかなければならないのは、現在の天皇が、そのような国づくりを望んでいるわけではないということです。天皇は、発言の機会があるごとに、日本国憲法の大切さを語っていますし、安倍内閣が集団的自衛権の行使容認を閣議決定（二〇一四年七月）した翌月の「全国戦没者追悼式」では、「国民のたゆみない努力により、今日の我が国の平和と繁栄が築き上げられました」「歴史を顧み、戦争の惨禍が再び繰り返されないことを切に願い」と、戦争を繰り返さないことへの願いを語りました。

さらに二〇一五年年頭の所感では、次のように「満州事変」からの歴史に学ぶことを強調しました。「本年は終戦から七〇年という節目の年に当たります。多くの人々が亡くなった戦争でした」「この機会に、満州事変に始まるこの戦争の歴史を十分に学び、今後の日本のあり方を考えていくことが、今、極めて大切なことだと思っています」。

「戦争する国づくり」を進める官邸と、天皇との間には一定の政治的緊張が生まれているといっていいでしょう。そのため、「新しい歴史教科書をつくる会」の元会長で、安倍首相の私的諮問機関「教育再生実行会議」の委員でもある八木秀次氏が、「憲法巡る両陛下ご発言公表への違和感」と題する文章で、次のように述べるということも起こっています。

「陛下が日本国憲法の価値観を高く評価されていることが窺《うかが》える。私が指摘しておきたいのは、両陛下のご発言が、安倍内閣が進めようとしている憲法改正への懸念の表明のように国民に受け止められかねないことだ」（『正論』二〇一四年五月号）。

天皇であれば誰でも敬うということではなく、自分たちの目指す日本社会づくりに有用である天皇のみを敬うという思想が、そこには表われているようです。

憲法が権力をしばる国から権力が国民をしばる国へ

（2）戦争放棄の道を捨て、アメリカとともに戦争する軍事強国にする。

日本国憲法前文には、「政府の行為によって再び戦争の惨禍が起ることのないやうに」「恒久の平和を念願し」「全世界の国民が、ひとしく恐怖と欠乏から免かれ、平和のうちに生存する権利」などの文言がありますが、自民党改憲案では、これらはすべて削除されています。そして、その代わりに、「日本国民は、国と郷土を誇りと気概をもって自ら守り」が書き込まれます。徴兵制を想起させる文章です。

第九条の「陸海空軍その他の戦力は、これを保持しない。国の交戦権は、これを認めない」は削除です。そして、ここには「国防軍」の任務として、日本の独立を守ることのほかに、①「国際社会の平和と安全を確保するために国際的に協調して行われる活動」と、②「公の秩序を維持し、又は国民の生命若《も》しくは自由を守るための活動」が追加されます。①はアメリカとの集団的自衛権の行使につながる部分であり、②は天皇を頂点としたこの国の形（公の秩序）を守るための治安維持活動、すなわち日本国民に軍を向けることにつながる部分です。

（3）国民が社会保障など政治の力に頼ることなく自力で生きる、自己責任および家族責任の国にする。

改憲案は、第一二条で国民の自由や権利は「常に公益及び公の秩序に反してはならない」とします。国民の自由や権利を守るものとして国家があるという両者の関係を逆転させ、国家つまり公の秩序が許す範囲で、国民は自由や権利を享受せよということです。第一三条の幸福追求権も、公の秩序によって制約されるとなっています。

第二四条には両性の本質的平等の規定の前に「家族は、互いに助け合わなければならない」が挿入され、平等の内容には「扶養」が新たに追記されています。自己責任の次には家族責任、家族の扶養については女性も男性と平等にということが、女性の働く条件の改善もなしに求められているわけです。国民の生存権を国家が守るという役割は、ますます後景に退いていきます。

前文に書かれる「和を尊び、家族や社会全体が互いに助け合って国家を形成する」も、家族や社会の「共助」を求めたものであり、さらに家族、社会よりも国家が上位にあることを暗示しているように思えます。

（4）経済運営の基本を、大資本・財界最優先の「おこぼれ経済」の国とする。

国民の生活を自己責任と家族責任に委ねようとすること自体、すでに大資本の利益を最優先する自民党流のトリクルダウン論につながるものですが、さらに前文には「活力ある経済活動を通じて国を成長させる」と、自民党流の「経済成長」路線がそのまま書き込まれています。

（5）政治に対する国民の不満や批判を力で抑えこんでいく国にする。

第二一条は「公の秩序」を害する結社は「認められない」と、結社の自由を政治体制への適合性で判断するとしています。他方で、第二〇条の政教分離については「ただし、社会的儀礼又は習俗的行為の範囲を超えないものについては、この限りでない」として、事実上、靖国神社への参拝を容認するものになっています。

さらに驚くべきは、第九八条の「緊急事態の宣言」で、ここには、外国からの武力攻撃、大規模な自然災害の他に「内乱等による社会秩序の混乱」が、緊急事態（すべての法を停止し、この間は国家の指示に従えとする戒厳令）を宣言する際の主な事例にあげられています。

（6）権力が憲法に縛られる国から、国民が憲法に縛られる国へ。

日本国憲法の第九九条は、「天皇又は摂政及び国務大臣、国会議員、裁判官その他の公務員は、この憲法を尊重し擁護する義務を負ふ」となっていますが、これに対応する改憲案の第一〇二条は、「全て国民は、この憲法を尊重しなければならない。2　国会議員、国務大臣、裁判官その他の公務員は、この憲法を擁護する義務を負う」とされています。

ここには、憲法が国民の合意にもとづいて権力のあり方を制約するものであるという立憲主義の憲法観から、権力の側が国民を憲法によって制約するものへの憲法観の逆転、すなわち憲法を憲法ではないものに変質させる試みが集中的に現われています。

以上のように、自民党の改憲案は、財界が求める経済政策の遂行を憲法に盛り込み、アメリカとともに海外で戦争することを可能にする点で、「財界主導」「対米従属」の重大な要素を取り込んでいます。しかし、それと同時に「侵略肯定」の思想に連なる国民の諸権利の否定や、靖国参拝という特定の宗教（独特の国家神道）および歴史認識に直結した強権的な国家主義の色合いをきわめて強く打ち出すものとなっています。

ここには過去の自民党の大幹部からも「右翼政治」との批判を受ける安倍政権の特異性がよく表われています。同時にそれは、これまで以上に多くの国民の批判を呼ばずにおれず、また従来自民党を支持してきた保守層やアメリカ政府の中にも警戒の声を広げずにおれない要因となるものです。

国民の支持を増やせない安倍政権、期待される「ストップ安倍」

では、こうした自民党への国民の支持は、現在、どのようになっているでしょう。確かめてみると、この一〇年間の国政選挙での自民党の得票数は次のようになっています。

二〇〇五年衆院選二五八九万票（投票率六八パーセント）、二〇〇七年参院選一六五四万票（五九パーセント）、二〇〇九年衆院選一八八一万票（六九パーセント）、二〇一〇年参院選一四〇七万票（五八パーセント）、二〇一二年衆院選一六六二万票（五九パーセント）、二〇一三年参院選一八四六万票（五三パーセント）、二〇一四年衆院選一七六六万票（五三パーセント)。

二〇〇五年は小泉首相がしかけた、いわゆる「郵政民営化選挙」で、ここで自民党は絶対安定多数を大きく上回る大勝を果たしました。しかし、二〇〇七年には第一期安倍政権が改憲をかかげた選挙で大敗し、これを転換点に二〇〇九年には政権の座を失います。よく見ていただきたいのは、その後、自民党の得票は政権を失った瞬間の一八八一万票をさえ、一度も上回ったことがないということです。安倍内閣はメディアの世論調査による内閣支持率では一定の高さを維持していますが、選挙の得票数を伸ばすような「安倍人気」はどこにも存在していません。有権者比での得票率で見れば、二〇一四年の自民党はわずか一七パーセントの支持しか得られぬ政党となっています。

もう少し視野を広げて、最近の各政党の得票変化を見ておけば、そこには次のような特徴が現われています。

①二〇〇九年に二九八四万票を得て政権についた民主党は、二〇一四年には九七八万票しか得られなくなりました。一度は民主党に投票した二〇〇〇万人の人たちが、政権党としての実績に愛想を尽かしたということです。

②しかし、その二〇〇〇万人は、自民党・公明党への支持にもどる動きを見せていません。先にも見たように自民党は、二〇〇九年一八八一万票から二〇一四年一七六六万票へ

と減っており、公明党も二〇〇九年八〇五万票から二〇一四年七三一万票へと減っています。両党あわせて一八九万票の減になっているのです。

③では、民主党に愛想を尽かし、自民党・公明党からも新たに離れた合計二二〇〇万近くの有権者は、どういう動きを見せているでしょう。一つの大きな流れは「選挙にいかなくなる」という動きです。二〇〇九年の六九パーセントをピークに、最近の投票率は二〇一〇年五八パーセント、二〇一二年五九パーセント、二〇一三年五三パーセント、二〇一四年五三パーセントと、戦後最低レベルに落ち込んでいます。「自民・公明・民主のどれも期待できない」「それでは投票したい政党がない」あるいは「もう政治には期待しない」という判断です。

④もう一方には、選挙のたびに目まぐるしく投票先を変え、新しい政治を積極的に模索する流れが生まれています。民主党政権が誕生した翌年には、「みんなの党」が七九四万票を獲得しました。この年、民主党は一八四五万票に減っていましたから、早くも民主党への愛想尽かしがはじまっていたわけです。しかし、その「みんなの党」は、その後、得票数を大きく後退させ、結局「解党」に追い込まれました。

二〇一二年には「維新」に期待が集まります。この時の得票は一二二六万票に達しました。しかし、二〇一四年には、いくつかの勢力の新たな合流にもかかわらず、八三八万票へと後退しています。

二〇一二年衆院選の直前に結党された「未来の党」が、選挙後ただちに姿を消したことに象徴されるように、いわゆる「第三極ブーム」は、きわめて短期のうちに終わっていきました。

⑤その中で、安倍内閣の誕生を転機に勢いを増したのが共産党です。民主党政権成立直前の共産党の得票数は、二〇〇五年四九二万票、二〇〇七年四四一万票でした。しかし、それが二〇〇九年四九四万票から、二〇一〇年三五六万票、二〇一二年三六九万票と低迷します。一時の民主党人気、第三極ブームに押し退けられる形でした。それが、二〇一三年五一四万票、二〇一四年六〇六万票と急速に得票を伸ばしてきます。

転換の起点となったのは、二〇一二年選挙における安倍政権の成立でした。成立した直後から暴走をはじめた安倍政権を前に、国民の中には「非自民」にとどまらない「反安倍」「ストップ安倍」という政党選択の新しい基準が生まれ、これにかなう政党として共産党が選ばれるようになったのです。

そうして勢いを得た共産党が、戦争法案反対、憲法守れ、原発ゼロ、消費増税反対、TPP反対、ストップ・ブラック企業、辺野古基地移設反対など、多くの重要課題で、政党支持の別をこえた「一点共闘」を広くよびかけ、実際に古い保革の壁をこえた共同を広げていることも、国民の期待を集める大きな要因となっています。

安倍政権の暴走はたいへんに危険なものですが、国民は平和と民主主義を守る新しい政治の模索をつづけており、政治は、国民に主権者としての駆け足での成熟を強く求める局面に入っています。

第11話　平和・民主主義の日本の成熟へ

第10話では、暴走する安倍政権の危険性と、政治の転換を求め、新しい政治を模索する国民の変化を見ておきました。特に、民主党政権が成立して以降の国政選挙での投票動向には、新たな変化がはっきり現われています。ここでは、その新しい政治の展望を考えてみます。日本社会の改革の展望ということです。

時々の具体的な政治のあり方は、権力を握る者の思惑だけで移り変わるものではありません。いつでも、権力者と多くの国民の力の衝突を通じて変わります。肝心なのはその衝突の焦点です。それは人々の思いつきでどうにでも変わるというものではありません。衝突の焦点は、したがって政治の変化の方向性は、社会の客観的なしくみによって定められます。

「閉塞」は次の時代を準備する

人間社会の長い歴史を振り返るなら、それが「どうせ変わらない」などというものでないことは明らかです。「世の中は変わらない」というのは多くが、数年という短い期間の、それも個人的な印象の限りでの思い込みです。

日本の歴史を振り返れば、古く縄文の時代には貧しい中にも独自の文化があり、支配する者／される者という社会の内部に分裂と対立をもたない平等な社会がありました。人間社会の最初にこうした共同社会があったことは、世界の各地で確認されていることです。

農耕を広く定着させた弥生時代から戦乱の時代が始まり、強い武力をもつ者が弱い者たちを村ぐるみで奴隷にするという、深刻な対立と分裂をもった奴隷制の社会を生み出します。私有財産と国家の誕生です。国家は何よりも、社会内部の対立を力で抑え込み、外部の社会を屈伏させる武力として人間社会に登場しました。この時代の支配者は、天皇をふくむ貴族たちです。

その貴族がもつ武力の中核をなした武士たちが、貴族に反旗をひるがえし、土地と農民を手に入れて、社会の新たな支配者となっていくのが封建制の社会です。この時代は豊臣秀吉の太閤検地を画期に、さらに中世と近世という二つの段階に区切られます。奴隷制から封建制への移行期には、京都と鎌倉に二つの権力が共存しました。また武士の支配が確立した後も、天皇など京都の貴族は、時々の支配者に精神的・文化的権威を与える者として、武士の権力によって温存されました。

つづいて明治維新をきっかけに、日本は資本主義の社会に転換していきます。この時代も天皇主権か国民主権かによって大きく二つの時期に分けられます。

このように日本社会は、列島に誕生した瞬間から今日まで、大きな変化を繰り返してきました。現代日本の社会もそうした変化の途上に立っています。ただし、人の人生が数十年の単位であるのに対して、社会の大きな変化は一〇〇年単位の出来事です。そこで幕末から明治維新への動乱や戦前から戦後への社会の激変など、短期間での変化の瞬間を生きた人間以外には、なかなかそれが実感できなくなります。

しかし、あらためてより注意深く見てみると、戦後の七〇年の間にも、小さくない社会の変化はたくさんありました。

日本が侵略戦争に敗れ、アメリカの軍事占領下に置かれたのは一九四五年のことでした。そこから「対米従属」の国として中途半端な「独立」を遂げたのが一九五二年のことで、同じ日に発効して戦後日本の「対米従属」を形づくった旧安保条約は、一九六〇年に新安保条約に改定されています。これが今日の日米共同で戦争をする国づくりの根っこになりました。

他方、「憲法を暮らしの中に生かそう」というスローガンのもと、福祉・教育・環境対策に力を入れた革新自治体が、全国各地に広がったのは一九六〇～七〇年代のことでした。一九七〇年代前半には、日本の全人口の四三パーセントが革新自治体に暮らすまでになりました。それは一九七二年の自民党政権による「福祉元年」宣言など、国政にも大きな変化をもたらしました。しかし、その後、財界からの強い巻き返しがあり、その意を汲《く》んだ自民党・公明党の企みと、社会党の革新ばなれ（一九八〇年）により、革新自治体は各地で崩れてしまいます。

経済のあり方の変化に注目すれば、戦争による荒廃からの復興をへて、それまでの世界に例がないといわれた高度経済成長が始まったのは一九五五年のことでした。そこから一五年を超える長期の成長の中で、日本は一挙に、アメリカに次ぐ資本主義世界第二の生産大国に変身していきます（一九六八年に西ドイツを追い越してGNP第二位に）。しかし、一九七〇年代半ばの深刻な恐慌をへて低成長の時代に入り、生産の「合理化」（リストラ、下請いじめ）による人件費抑制を力に、欧米への輸出を急拡大させ、これが一九八五年の「プラザ合意」による円高誘導を招いていきます。

円高による輸出への制限をさらなるリストラで乗り越え、これにまた円高が覆い被さるという「悪魔の循環」が進行しました。国内の消費力の萎縮《いしゅく》とアメリカからの圧力を背景に経済の金融化と公共事業費の急拡大のもとで「バブル経済」がスタート（一九八六年）し、一九九〇年代以降は「平成大不況」に突入します。その間に「ゼネコン国家」から「グローバル国家」への財界の戦略の転換があり、これに対応した「構造改革」が格差と貧困を広げていきました。

この間の政治を、一九五五年の結党から、ほぼ一貫して担当したのが自民党です。しかし、自民党の有権者比得票率は、七〇年代から今日までにすでに半減しています。その政治の基本的な特徴が、「財界主導／対米従属／侵略肯定」なのでした。権力と国民との力の衝突の焦点はここにあります。

財界主導での「構造改革」・アベノミクス・成長戦略の推進。
対米従属での基地建設強行、アメリカとともに海外で戦争する国づくり。
侵略肯定による世界での孤立と国民抑圧型の国家づくり。

このいずれにも国民は不安と危険を感じています。そして新しい政治を模索しています。それが本格的な姿をとるようになったのが、二〇〇九年以後のことでした。とはいえ、その模索が、確かな社会の変化につながるには、一定の政治的体験をともなう国民の成熟

（政策への理解の成熟と多数者を形成する連帯の成熟）が必要です。

「自民・公明政治に嫌気がさしたので民主党政権をつくってみた」「これが役に立たなかったので、次は『第三極』に期待をかけてみた」「さらに改革への強い意欲が見える気がして『維新』にも期待をかけてみた」。こうした短期間での変化と模索は、その時々の判断の当否をめぐる議論ともあわせて、どれも重要な意味を持つ国民的な政治体験となっています。大阪府知事・大阪市長を「維新」にまかせた大阪市民が、「大阪都構想」（内実は大阪市解体構想）をめぐる住民投票（二〇一五年五月）で、今度は改革をまかせなかった。ここにも大阪市民の体験と議論の成果が反映しています。

こういう行きつ戻りつを「閉塞」と呼ぶ向きもありますが、外観上の閉塞の中にも、次の変化への準備は蓄積されているものです。たとえば自民党政権から民主党政権へ、再び自民党政権へという見かけ上の「逆戻り」の下で、国民がどのような新しい模索を行っているかについては、第10話で述べたとおりです。

安倍内閣は二〇一六年には改憲案を発議したいとしています。そのような権力との衝突の中で、国民は権力を制御する主権者としての力量を次第に豊かにしていくでしょう。その意味で現代日本は危うさと、新たな政治への急速な転換の可能性を同時にはらむものとなっています。

多数者の合意で段階的な改革を

では、次の新しい日本を導く政治は、一体どのようにしてつくられるものでしょう。政治の変化には、大小さまざまな規模の相違があります。変化のレベルの相違といっていいかも知れません。目前の政治を考えてみても、安倍内閣による改憲の企てをストップすることと、安倍内閣を倒すこと、自民党政権を倒すことは、それぞれかなり違った問題です。改憲をくい止めることは、安倍内閣が存在している下でも可能です。そうした改憲ストップの取り組みは、改憲以外の分野で安倍内閣を応援している人とも手をつないで行うことが可能です。

しかし、安倍内閣を倒すとなると、このように安倍内閣を応援する人とは手をつなぐことができなくなります。ただし、自民党に愛情をもち、その立場から安倍政治を批判する自民党の支持者は、かつての大幹部も含めてたくさんいますから、そういう人たちとは広く手をつなぐことが可能でしょう。

さらに自民党政権を倒すとなると、今度は自民党を応援し、これに期待をかける人とは手をつなぐことができなくなっていきます。しかし、その場合には自民党政権にかわる新しい政権の見通しが、かなりはっきりしているはずですから、その内容を見て自民党の支持をやめる人もかなり現われてくるでしょう。

これらの変化は、どれも国民多数の合意にもとづいて行われます。時々の多数者の合意にもとづいて進むということは、政治の変化はいつでも多数者の合意が可能な範囲でしか進まないということにもなります。つまり急速な変化の時期と、「閉塞」という外観をとる時期の違いはあったとしても、いずれにせよ変化の過程は大きくは漸進的、段階的となるわけです。

これは右のような、政権のあり方をめぐる問題だけのことではありません。「財界主導／対米従属／侵略肯定」といった現代日本がかかえる三つの問題の改革についてもいえることです。

たとえば、「侵略肯定」の立場にある人でも、「河野・村山談話を否定するような七〇年談話を出すのは得策ではない」「今は首相や閣僚による靖国参拝は控えた方がいい」、そういう判断を下す人はいるでしょう。そのような判断は、財界人にも少なくないはずです。そうしなければ、成長するアジア経済への関わりを深めることができず、またアメリカからの強い批判もかわすことができないのですから。

「対米従属」については、日米軍事同盟が大切だという人の中にも、「辺野古での基地建設の強行はひどすぎる」という人は少なくないでしょうし、「自衛隊はこれまでどおり専守防衛でいい」とか「平和維持活動には貢献すべきだが、アメリカの戦争に加わる必要はない」という人も少なくないのではないでしょうか。

「財界主導」についても、経済の活性化のためには大資本の利益拡大が必要だとする人でも、「今の日本の格差は広がりすぎ」「違法なブラック企業はあってはならない」「消費税を一〇パーセントにすれば経済が壊れる」という意見の人は、やはり少なくないように思われます。

さらに、それぞれについては、靖国神社以外にすべての戦没者の慰霊施設をつくり（靖国は天皇の命令にしたがって戦死した者しか祀《まつ》られていないのでした）、首相はそちらにのみ参拝するようにするとか、日本から米軍基地を全面的に撤去するために、日米安保条約を廃棄するとか（手続きは同条約の第一〇条に明記されています）、国民生活の向上を最優先するため、大資本の経営の自由を大幅に制限するなど、より根本的な改革の方策が合意になっていく未来もありうるでしょう。

しかし、目前の変化の先々に、より大きな改革を展望する人も、目の前の小さな変化以上には新たな変化を望まない人も、その時々に、手の取り合える範囲で多数の合意をつくり、その合意の範囲にしたがって社会を段階的につくりかえていくしかない。政治の改革は、そのような取り組みの積み重ねという形でしか実行できません。

　変化を急いで、合意を超えた改革を行えば、社会の中には逆戻りの新しい力が生まれますし、関連して多くの混乱も生まれてきます。社会を安定的に変えていくには、多数の合意にもとづく段階的な改革という道を通るしかないのです。

　政治の転換には、特定のテーマでの市民運動や労働運動の高まりだけでなく、直接に、政治を変えようとする運動が不可欠です。たとえば「原発のない日本をつくりたい」「ブラック企業をなくしたい」などの合意があるとすれば、国民には、その合意を実行する意思をもった政治をつくる力が求められます。どの政党に、どう働きかけ、どの政党を支援し、あるいはどういう政党同士の連携を求めるか、それらを冷静に判断し、行動する、主権者としての成熟が求められます。

　その意味では、資本主義社会の発展は、いつでも社会の主人公としての国民の成長を土台とします。社会の発展とは、何より主権者自身の成長であり、日本社会の今後の段階的な発展も、主権者である国民の段階的な成長に応じたものとなっていきます。

第12話　資本主義を超える未来の社会

第11話では当面の日本社会の改革について考えてみました。その時々に、多数者が合意できる範囲で漸進的、段階的に平和・民主主義の日本を成熟させていくということが基本でした。

今回は、改革の展望をより大きくとって、資本主義の次に展望される未来社会について考えてみます。これまでもそうした大きな変化があったのと同じように、日本社会の発展は、目の前の安倍政権の打倒や、資本主義の民主的な改革の範囲にとどまるものではありません。社会の合意はその先にも大きく進んでいくということです。

資本主義の内部での改革と資本主義を超える改革

ぼくが若いころに学んだ哲学には、「発展には二つの種類がある」「一つは、あるものの内部での発展で、もう一つは、あるものから他のものへの発展だ」というカッコイイ言葉がありました。これになぞらえていえば、第11話のテーマは資本主義の内部での発展の話で、ここでの話題は資本主義からそれ以外の社会への発展についてです。

そもそも資本主義とは、どういう社会だったでしょう。工場や原材料や大きなビルなどの「生産手段」を、数少ない資本家たちが自分のものとして持ち（私的所有）、他方で、働くエネルギー（労働力）を時間決めで売る労働者を雇い、生産手段と結合させて、モノやサービスの生産や販売を行っていく。これを経済の根本的な特徴とするものでした。その結果、資本主義経済の原動力は、それぞれの資本家（経営者や大株主たち）による、自分たちの（私的な）儲けの追求となるのでした。

第11話で取り上げた「財界主導／対米従属／侵略肯定」という三つの問題についていえば侵略戦争の美化をやめることや、日本がアメリカの基地国家である現状を抜け出すことは、こうした資本主義の根本を変更することなしに実現できるものでした。実際、ナチス・ドイツの犯罪行為を厳しく追及しているドイツも、一九九二年までにすべての米軍基地を撤去させたフィリピンも、資本主義を離れたわけではありません。

「財界主導」からの転換も、労働者の働く条件や、税金、社会保障制度などの変更はあるにしても、資本家が労働者を雇い、賃金を受け取る労働者が働くという労資関係自体の変更を、ただちに必要とするものではありません。国民の暮らしが第一という、多くの人の願いにこたえる政治は、資本主義の枠内で始めることができるもので、また、かなりのところまで進めることができるものです。

資本家のための経済をみんなのための経済へ

しかし、この三つの問題の改善を達成しても、人々が願う社会の発展は、そこでピタリと止まってしまうわけではありません。もっと豊かで、もっと暮らしやすい社会はつくれないものか、もっと安全で、もっと安定した未来を保障する社会をつくることはできないものか。そうした願いの拡大には、そもそも限りがないからです。

そこで社会改革の次の大きな課題となってくるのは、「いつまでも資本主義のままでよいのか」という問題です。その時点で、すでに「財界主導」の政治は転換され、政府の経済政策は国民生活の充実を第一課題とする民主的なものに変わっています。しかし、民間の資本が、自分たちの儲け（私的な利潤）を追求し、互いに競争しあうという関係そのものが変更されているわけではありません。人件費をできるだけ抑えこもうとする衝動、儲かるなら何でも売ってしまおうとする衝動、自分たちに都合よく政治を買収してしまおうとする衝動などが、どうしてもそこから発生してきます。

民主的な経済運営を追求する政治は、これを何とか制御しようとしていくでしょうが、資本はいつでもその手をすり抜けようと努力します。この両者のイタチごっこを前にして、多くの国民が「いつまでも資本主義である必要があるのだろうか」と考えずにおれなくなる段階がくるということです。

この問題の解決方向についても、社会科学は、すでに一定の見通しをもっています。現代日本を「資本主義」としている根本は、少数者による生産手段の私的所有でした。この工場や建物は私のもの、この会社は私のもの、そのように資本家が生産手段を自分のものとすることから、「私の儲けのための経済活動」が生まれてきます。それが資本主義経済発展の活力の源でもあり、同時にブラック企業を蔓延《まんえん》させるような、歯止めなき「やりすぎ」をもたらす源でもあるのでした。

そこで問題解決に向けた提案として浮かび上がってくるのは、これら生産手段の所有者を個人から「社会」に変えてしまってはどうかということです。そうすることによって経済活動の目的を「個人の儲けの追求」から「社会のみんなの利益の追求」に転換することが可能になるのではないか、というものです。マルクスはこの転換を「生産手段の社会化」とか「生産手段の社会的所有の実現」とよびました。

このような経済関係の転換は、社会の全体に大きな変化を及ぼします。まず「私のため」に「アナタが働く」という、資本家と労働者への社会の分裂と対立がなくなります。それに代わって「みんなのため」に「みんなが働く」という連帯と共同が、経済の領域での人間関係の根本に座ってきます。それは政治の分野にあっても、財界と労働者との利害の衝突を解消し、代わって社会の構成員全員による社会の民主的な管理、自治的な管理の方法や内容の探求に、主な課題を移します。

みんなの労働の成果を無駄にしないという意味で、浪費のない経済・社会づくりにも本腰が入れられるでしょうし、「持続可能な社会」に向けた自然と人間社会との調和の探求も、私的な利潤追求に妨害されることなく真剣に行われていくでしょう。

こうした社会の中では、労働時間の短縮も大きな追求の課題となっていきます。資本主義の下では、私的利潤の源泉である労働を、労働者にどれだけたくさんさせるかが資本家の大きな関心事ですが、みんなのための共同を本質とする経済社会にあっては、「人間が経済のためにあるのではなく、経済が人間のためにある」という考え方が基本となります。その考え方にしたがって、生活の豊かさにとって必要な生産物はどの程度であり、そのために必要な労働時間はどの程度のものになるか、その問題が労働時間と自由時間とのバランスの中で検討されるように変わります。物質的な豊かさは大切だが、同時に精神の豊かさや、社会に束縛されない（みんなのための労働もその束縛の一つです）自由時間の確保も大切だ。その調和の追求が、社会の重要課題になってきます。

今でも日本は、フランスやドイツより年七〇〇〜八〇〇時間も長い、世界最長レベルの長時間労働大国となっています。その結果、多くの人が「過労死」で命を落としています。年に七〇〇〜八〇〇時間の違いがあるということは、単純計算すれば、年二五〇日働くとして、毎日三時間の格差があるということです。仕事に拘束されない自由時間が、毎日三時間も多くあれば、人々の生活は大きく変わっていくでしょう。

二〇世紀初頭のフランスの労働時間は週七〇時間でしたが、二一世紀初頭には、週三五時間に減っています。その間の生産力の豊かな発展を、資本家だけではなく労働者たちもそれなりに享受しているということです。フランスやドイツなどの未来社会は、さらに人々の労働を効率的に取り扱い、社会の豊かさと自由時間のバランスを探求していくものとなるでしょう。

そのように「自分の時間」が長くなったなら、みなさんは、どのようにして毎日を過ごすでしょう。休息、家族との団欒《だんらん》、映画、読書、スポーツ、登山、旅行、研究、ボランティア。いろいろな可能性がありますが、こうして各人が自由に育んだ各人の知力と体力は、労働と経済のさらなる発展のためにも活かされます。これは未来社会における生産力発展の文字どおりの源泉となるものです。

資本主義の十分な発展にもとづいて

このような特徴をもつ未来の共同社会のことを、マルクスは社会主義とか共産主義の社会と呼びました。マルクスだけではありません。ブルジョア革命や産業革命を通じて生まれた資本主義の特に経済分野での「限界」(象徴は労働者たちの貧困でした)を早い段階で見抜いた人々は、マルクスよりはるかに早く、こういう未来社会を展望していました。空想的社会主義者と呼ばれたフランスのシャルル・フーリエ、サン・シモン、イギリスのロバート・オーエンなどが有名です。

しかし、社会主義を名乗った昔のソ連も、今の中国も、とても、そんなにすぐれた社会とは思えない。むしろ社会主義の国々の方が資本主義より貧しくて、自由や民主主義も乏しく、人々が政治の強い力に抑え込まれているのではないか。マルクスらの理想は、すでに「絵に描いた餅」であることが歴史によって証明されているのではないか――そういう感想をもつ人も多いと思います。

これは大きな問題ですが、まず考えておきたいのは、当人がそう名乗ることと、そのものの実際のあり方は、いつでも自動的に合致しているものではないということです。

たとえば自由民主党は、「自由」「民主」を名乗っていますが、秘密保護法を施行させ、今また強権的な国家づくりに向かう改憲案を示しているように、とても国民の「自由」や「民主」をまじめに追求している政党とは思えません。必ずしも「名は体を表わす」ものではないのです。ソ連は社会主義を名乗りましたし、中国は今も名乗っています。しかし、自民党の例と同じく、当人がそう名乗るからという理由だけで、「あれが社会主義だ」と思い込むのは早計です。

その国や社会が社会主義であるのか、あるいは社会主義に向けた改革の途上にあるのか、そのことを判断していく上での一番の基準になるものは、そこで「生産手段の社会的所有」がどの程度に実現されているのか、そこで社会の分裂と対立はどのように乗り越えられ、人々の連帯と共同はどこまで進んでいるかという問題です。

そのような基準をはっきり立てて検討していけば、ソ連はとうてい社会主義といえる社会ではありませんでした。生産手段は社会のものにはなっておらず、実態としては少数の国家官僚がこれの運営計画を立案し、人々は国家の指令に従って、自らの労働を提供するしかないという社会でした。マルクスは未来社会のことを、「共同的生産手段で労働し、自分たちの多くの個人的労働力を自覚的に、一つの社会的労働力として支出する自由な人々の連合体」と特徴づけたことがありますが、ソ連社会は、これとはまるで違った社会でした。現在の中国も、政府は「社会主義をめざす」としていますが、その実態は事実に即した評価を求めています。

ソ連社会はどういう社会だったのかについては、多くの研究が重ねられていますが、スターリンが多くの同僚政治家や軍人たちを抹殺しながら指導権を握り、土地や家畜を所有者であった農民たちの意思と無関係に「強制的に集団化」した一九三〇年代には、「社会主義をめざす精神」は完全に失われてしまいました。ここに、レーニン時代の真剣な探求との大きな違いを見るのは、多くの論者に共通するところです。スターリン時代のソ連は、同時に領土拡張にも並々ならぬ野心を向けていきますが、こうした国内にあっては指令的・命令的な社会運営、外に向けては他国を力でねじ伏せる覇権主義という社会のあり方は、スターリン以後もほとんど改善されることなく、結局、ソ連は基本的にはそのままの姿で崩壊していくことになりました。

一九八九年のベルリンの壁崩壊、一九九一年のソ連崩壊は、アメリカ政府を発信源とした「共産主義は死んだ」「資本主義万歳」という大キャンペーンを世界に広げましたが、資本主義が人々にもたらす災厄の大きさに、その後、再び「資本主義はこれでよいのか」「いつまでも資本主義のままでよいのか」が新たな探求の課題としてクローズアップされてきています。ソ連社会が倒れたのは事実ですが、それによって資本主義が抱える矛盾は一つでも解決されたわけではありません。その資本主義の矛盾を解決しようとする取り組みは、資本主義が資本主義である限り、その内部から必然的に生まれて来ざるを得ないものです。

ぼくは日本社会の発展も、資本主義を超えるというこの大課題に行き着かざるを得ないものだと考えています。ただし、そうした社会の改革は、すでに述べたように社会の多数の合意にしたがって、漸進的、段階的にしか進むことはできません。資本主義を超える社会改革の準備は、資本主義の枠内での改革を重ねる中で、次第に成熟していくものとなるでしょう。そうして、日本の社会もこの大課題に挑む資格を順次身につけていくでしょう。

おわりに

神戸女学院大学の石川康宏です。最後までお読みいただき、ありがとうございました。いかがでした？　楽しく読んでいただけましたか？

この本の第Ⅰ部は、二〇一五年四月に京都の学生さんを前に行った新入生歓迎企画での講演に大幅に手を加えてまとめたものです。

第Ⅱ部は『民医連医療』という全日本民主医療機関連合会の機関誌に、「日本社会はどうなっている？」というテーマで一年間、一二回連載させてもらったものを元にしています。この本に収めるにあたり、こちらもかなりの加筆を行いました。

『社会のしくみのかじり方』というタイトルは、四年前に出した『マルクスのかじり方』との姉妹編を意識したものです。二冊あわせて、「よりましな日本への改革」を考えるための入門文献と位置づけていただけると嬉しいです。

今回も編集は角田真己さんに担当していただきました。ありがとうございました。

石川　康宏（いしかわ　やすひろ）
1957年北海道生まれ。神戸女学院大学教授（経済学）
京都大学大学院経済学研究科後期博士課程単位取得退学。
主な著書
『「おこぼれ経済」という神話』（新日本出版社、2014年）
『「古典教室」全3巻を語る』（共著、新日本出版社、2014年）
『若者よ、マルクスを読もうⅡ』（共著、かもがわ出版、2014年）
『女子大生原発被災地ふくしまを行く』（共編著、かもがわ出版、2014年）
『女子大生のゲンパツ勉強会』（共編著、新日本出版社、2014年）
『マルクスのかじり方』（新日本出版社、2011年）
『若者よ、マルクスを読もう』（共著、かもがわ出版、2010年）
『輝いてはたらきたいアナタへ』（共編著、冬弓舎、2009年）
『覇権なき世界を求めて』（新日本出版社、2008年）
『女子大生と学ぼう「慰安婦」問題』（共編著、日本機関紙出版センター、2008年）
『「慰安婦」と出会った女子大生たち』（共編著、新日本出版社、2006年）
『ジェンダーと史的唯物論』（共著、学習の友社、2005年）
『現代を探究する経済学』（新日本出版社、2004年）

社会《しやかい》のしくみのかじり方《かた》

2015年7月30日　初　版

著　者　石　川　康　宏
発行者　田　所　　稔

郵便番号　151-0051　東京都渋谷区千駄ヶ谷4-25-6
発行所　株式会社　新日本出版社
電話　03（3423）8402（営業）
03（3423）9323（編集）
info@shinnihon-net.co.jp
www.shinnihon-net.co.jp
振替番号　00130-0-13681
印刷　亨有堂印刷所　　製本　光陽メディア

落丁・乱丁がありましたらおとりかえいたします。

ISBN978-4-406-05921-3 C0036　Printed in Japan

石川康宏著

『マルクスのかじり方』

マルクスの思想の面白さ、そのバイタリティあふれる人生をやさしい言葉で紹介。学生との爆笑座談会も収録。マルクスの著作に直接あたって読みたくなる入門書。

『「おこぼれ経済」という神話』

アベノミクスの結果は増税と社会保障の切り捨てばかり。いったいなぜこんなことになったのか、どうしたら抜け出せるのか？　発想の逆転を提案します。

神戸女学院大学石川康宏ゼミナール著

『女子大生のゲンパツ勉強会』

最初は何も知らなかった学生たちが、毎回五時間のゼミで学び、「原発銀座」を訪れ見えたこと。「原発ってとっつきにくい」と感じる人にもオススメ！